ANTOLOGÍA DE POEMAS BREVES

Lecturas Mexicanas divulga en ediciones de grandes tiradas y precio reducido, obras relevantes de las letras, la historia, la ciencia, las ideas y el arte de nuestro país.

MARCO ANTONIO MONTES DE OCA

Antología
de poemas breves

JOAQUIN MORTIZ

sep

Primera edición: 1986.

Producción: SECRETARÍA DE EDUCACIÓN PÚBLICA
Dirección General de Publicaciones y Medios

D.R. © 1986, de la presente edición,
Consejo Nacional de Fomento Educativo
Av. Thiers No. 251, 10o. piso
México, D.F. C.P. 11590

D.R. © 1985, Editorial Joaquín Mortiz, S.A.
Tabasco No. 106
México, D.F. C.P. 06700

Impreso y hecho en México, D.F.

ISBN 968-29-0945-7

RUINA DE LA INFAME BABILONIA
(fragmentos)

1953

RUINA DE LA INFAME BABILONIA

I

Todo se ahoga de pena
y hasta las mismas escafandras
se amoratan bajo el mar.
El pulso, lo más cierto de un río con vida,
y la sal, estatua que nace demolida,
ya no reverberan:
un tajo súbito hiere esta latitud pasmada,
dispersa con su sombra
piedras de mi esqueleto
jamás soldadas.
¡Qué helado lugar, apenas hay buitres
y un inmenso bagazo rompe en lágrimas!
Aquí beberé agua inmóvil y verdosa,
lluvia que golpea las puertas del museo
donde los héroes se desnudan
tras el emboscado perfume de las momias.

Mi cuerpo ya no dobla espigas,
ni el rescoldo cede al yunque una sola chispa,
ni la parra sombrea el muro al rojo vivo:
está extraño el mundo
y se defiende contra el fuego que lo inventa.
Por eso más vale no acordarme,
no mirar el sitio
donde es repartida y destazada
la yema de mi juventud,
amargo sol caído
en que medran los gusanos.

Necesito más ojos o menos lágrimas,
vigor para colgarme
con ambas manos del párpado,
indómita cortina que al ser corrida,
borra las andanzas de mis pasos,
sepulta el atajo de cabras
y calma el jadeo en los belfos de mi herida,
hoy que muero aterrado, sin conciencia,

de espaldas al futuro que suele abrirse
cuando a los marinos que caminan en altamar
se les desfonda la suela del zapato.

Me duelen todos los jardines de la vida.
Me duele que la vida no me duela
como a esos topos que inflados de cascajo
llevan túneles al pedernal
y atraviesan densas fumarolas,
con todas las estrellas y los ríos
sentados en su espalda.
¡Oh mineros abrumados,
temblorosos tamemes del planeta,
contemplad, contemplad conmigo el aire negro,
las piedras que fueron un incendio
y casi una mirada!

Nunca estuvo tan extraño el mundo:
afilan los niños sus uñas en la cuna,
la barda enseña al sol los claros dientes
y la yerba piensa desde su cráneo de rocío
en campanas de barro y badajos de acero,
en armarios que se abren llenos de pústulas,
en esta hora cuya sinceridad traiciona,
pues nadie tiene certeza de lo cierto
cuando el cuerpo es un mero ataúd del corazón,
del corazón mantenido en alto
para descargarlo como piedra repentina
sobre el sueño y sus comarcas
de vidrio soplado.

II

¿En un mundo más estricto
no seríamos fantasmas?
Después de nacer
cada hombre combate por otros nacimientos.
A fuerza de nuevos forcejeos
obtenemos la vida
que no debemos a la carne.

Había mortajas
de las que una violeta escapaba siempre:
sólo por crueldad supimos que tenía raíz
y que su muerte aumentaba el peso de las tumbas,
el peso de una voz
surgida por agrietamiento del silencio:
grito de hoja seca bajo la bota del relámpago,
intuición colmada, anegado instante
en que los muertos más profundos son de oro.
Bajo esa luz —¡Oh, Tiresias!—
vimos que el nacimiento de los niños,
hábil y seguro,
filtraba placentas de hojalata;
vimos, en aquel río perpetuo,
cabezas y brazos triturados,
piernas que se llenan de municiones
y se arrastran como enormes pájaros de plomo.

. . . .

CONTRAPUNTO DE LA FE
(fragmentos)

1956

A Octavio Paz

CONTRAPUNTO DE LA FE

Colibrí, astilla que vuelas hacia atrás
y te detienes
y en picada avanzas
contra el pecho milenario del perfume:
en tus manos encomiendo
las generaciones todavía plegadas a mi carne,
las llamaradas de nieve en el diamante
y la coraza de súplicas que protege a la ruina
contra el definitivo polvo.
En tus manos y alas encomiendo
al siempre silencioso, al poeta
que rasga sus vestiduras hasta el hueso
y acoge a sus espectros
y les transmite nueva niebla
soplando una canción entre sus labios secos.
En tus manos encomiendo al niño marinero
que crece cuando le falta la piel
para tatuarse el perfil de cuanto sueña,
pues no le duele al revés del párpado
su propia carne vive,
ni el hombre al hombre,
ni la sal a las heridas del mar.
En cambio los niños sufren
cuando todavía vendados por un vientre,
sólo contemplan la luna
si su madre bosteza.
Por lo menos un niño de la familia sufre,
pasa las de Caín y las de Abel,
cuando en la fiesta que al adulto sólo complace,
deshila o masca un pezón de trapo
en el sofá que doran por igual
sus bucles y el siglo
Mas yo voy a halarte de tus lágrimas,
niño de hueso y encajes,
flama, lumbre abovedada
que no decreces cuando más te brilla la cabeza.
Y a ti, niño sin zapatos ni pan,
te alzaré por el lóbulo de la oreja
—asa por donde otros toman tu pequeña malicia.

Voy a extraerte de tu overol,
ese caracol azul pegado en las esquinas
donde tu hambre se enrosca
junto al escaparate iluminado.
Voy a librarte de los espejismos que cortan.
Hay para ti inéditos lugares,
países envueltos en celofán
y luces nacidas en el arcoiris
que empapelan de mariposas la carne al descubierto;
hay pinos altos que ahorran caminatas a la lluvia,
juncos alzándose en llanuras de espuma
donde uno corre golpeándose en el cuadril
o monta escobas de rubios belfos
que van a buscar cebada al horizonte.
Entretanto, olvidaré fastuosos convoyes que vierten zafiros
        mientras avanzan,
olvidaré funámbulas imágenes que cruzan el aro incendiado
        de mis ojos,
pero tú, colibrí, jamás olvides a los niños.

. . . .

Aprisa fuego, nube, espuma invencible
que soportas meteoros en tu pecho:
álzate más aún,
calza los invisibles coturnos del halcón,
mira si el ojo como el pez,
embalsamado por la transparencia
y salado para la única travesía memorable,
al epitafio de todo esplendor anula;
dime si habrá polvo sobre el polvo,
turbulencia y opacidad,   .
espinas sin cuento emponzoñando
el aire de oro que la tarde suspende
sobre las cunas habitadas.
Aprisa fuente, borbollón,
hombre súbito de mica:
ábrenos el camino a la buscada complacencia del sol,
pues el corazón merece ser inmortal
y lo que muere
tiene poco tiempo para volverse eterno

y llevar dos ejemplares de cada especie
a su bamboleante Arca de Noé,
poco tiempo en verdad para morir
con las manos del mundo entre sus manos
o retratarse sobre el vivo terciopelo de la yerba,
flanqueado por la familia
y el sediento colibrí.

. . . .

Mas si la pluma pierde al pájaro,
alivia su nostalgia montada en la cola de la flecha,
si la puerta del cielo no se abre,
con alas de madera el cucú la entorna nuevamente.
Cuando haya súbitas anemias en el sol
y lívida se torne la pradera,
que el amor nos extienda contraseña
y entremos a los talleres incansables de la luz
buscando formas que recuerden al pegaso,
al pegaso que lleva herraduras de flores
por si hubiera de pisar
las atropelladas impurezas de la tierra.
Más hondo que las estaciones
los seres vivos se disfrazan:
no es fácil que un palo ya ceniza,
abra las valvas de los astros
ni que devuelva a la superficie
la moneda extraviada en el estanque.
Tal vez en la faceta solar menos empañada,
se libere lo que es inútilmente libre
como un barco en el desierto.
No sé, tal vez, quizá
uno se procure el entusiasmo de ver al mundo como es,
el cuidado que merece la torre desde que es un ladrillo
y la fuerza, la suplicante fuerza
que no es dolor sino paciencia,
paciencia para nada,
paciencia para limpiar un lirio limpio
y la ola de tiempo que disipa al fósil.

. . . .

17

Y el túnel rápido pero insorteable del destello,
el esqueleto de una guitarra inseparable de sus venas,
la palabra arrepentida frente al infinito,
y todo, todo lo que es amable y amado,
mirando al pájaro que es todavía cárcel de muchas cosas,
se consume,
coro de rocas mudo sin el viento.
Nunca estará el alba con nosotros todo el día,
ni el crepúsculo se precipitará entre los buzos
que tuercen sus cables en lívidas preguntas,
en hipocampos que siembran la interrogación de su cuerpo,
bajo su verde tumba remota.
Insondables capas de musgo
vendan arrecifes,
pero nada posterga el choque de la nave,
ahora que está por desprenderse
la lágrima de la que cuelga el mundo.
Por si esto no bastara,
en mi pensamiento solo hay fuentes
que apoyan instantáneos siglos
en bastiones de cristal;
sólo veleros que renuncian a sus orillas de madera,
sólo troncos sin memoria hundiéndose,
igual que la dulce Ofelia
tan mal asegurada en la canoa de su vestido.

. . . .

Como vigía de cuello especial
gira el girasol sin desnucarse
y otea la balsa en el oleaje
y el insomne vaivén del sueño,
pues ya no sabe a qué atenerse
ni qué estrella apedreada resiste más miradas.
Pronto se nos irá la vida en pedir
burbujas imposibles que limen al erizo,
se nos irá la vida buscando
un cofre para los cascos de la res en estampida,
se nos irá la vida cojeando con sus pies perfectos,
se nos irá la muerte propia
cuando la caja de Pandora

levante la tapa con sus propios músculos
y vierta azufre en el pan
o delate al nido
en que se alzan águilas de vapor
sobre golfos de claridad serena.
Aquí donde la montaña se saca de la bolsa un río,
y el mago, un montón de veleidades que azoran,
oiremos cómo se desprende el ancla leve
que a la tierra nos sujeta,
veremos el efecto de la tromba
sobre delicados alambristas.
Y la flama de borde azul,
la indecisa flama
que ni remonta ni se pliega al suelo,
el cornetín y su botonadura de charro,
el guajolote y su pañuelo de carne,
La piedra viva y sus reflejos de rígidas patas,
el tiempo y su corona de latidos,
el crepúsculo y su piel de onagro,
la novia nocturna y su ramillete de luces de bengala,
cada palabra y su objeto más querido,
separados por un instantáneo bisturí
en la sombra lloran por su perdida sombra.

He aquí que al fin estalla
la central imagen de las cosas,
estalla la caverna donde ya no caben la soledad ni el desolado,
el pálido ruiseñor que recuesta la cabeza
en la sombra de sus trinos,
el oceano en que demonios sonrientes
entran a sacudir como banderas
saurios colosales ahí enterrados.

Un luto enorme se esparce en el silencio,
se espantan la rama y el rasguño,
la fiera y el herido;
el rencor de un átomo desportilla al sueño entero
y sobre la tinta del calamar fumoso
y en el ácido que carcome los trastabillantes cimientos del
     planeta,
sobre palabras desterradas de sus vainas de aire

y en la pólvora que acentúa la noche de los túneles,
sobre inexplicables cementos que se ablandan con las horas
y en movedizos mosaicos de caleidoscopio,
—el pie rasgado en encrucijadas
antes que sus pasos—
afirma su cariño a la certeza.

. . . .

Cuando la paciente araña
colgó su primer hilo en la boca del cráter,
el volcán no pensó que la fuente de su ira
pudiera ser tapiada.
Mas la araña babeando sus hilos
logró tejer un lienzo inmaculado,
un sueño resistente a las emanaciones del azufre.
El fuego que burlan salamandras
es el fuego que consume al fénix.
El fuego que el fénix sortea
es el fuego que acaba con la salamandra.
Haciendo haces de heces,
la mujer que espera y llora la lluvia
y se plancha la nariz tras la ventana,
sabe ya cosas que no encontrará
en el radiante limbo de la resurrección
porque respira en la medialuz de un territorio increado,
vive entre el vapor y el acero,
entre la niebla sedentaria
y el incienso que se eleva.
Colgada del hilo de las posibilidades
—la mujer que espera y llora la lluvia—
ha cercado a sus demonios haciéndolos ángeles
de una misión cumplida,
ha teñido con alquimias lo invariante
y cuando la salamandra de la ley se fatigue de vencer,
su fresco instinto entronizará deseos en la evidencia.

¿Tiemblas marino? ¿La joya del sol
es demasiado sol para tus párpados?
¿Sueñas en tu orfandad que un padre viene
y sacude, con su mano sobre tus manos,

el tronco de las constelaciones?
Solo y sin soledad,
a veces muerto de suicidio natural
o asesinado por las preguntas que se enroscan en su desamparo,
el corazón pule su rostro a cada traspié
y lo ensucia nuevamente.
Así ha de ser,
a eso estamos condenados
hasta que en las postrimerías de la temporada de la muerte,
manos prometidas acaricien nuestras sienes
y rediman la jornada en que fuimos precipitados.
El solo golpe de un guante perfumado
estremecerá de nuevo zonas agotadas.
Cuando el sueño suena, agua lleva.
Después de un desmayo,
después de una pequeña huelga de la vida,
el corazón será ofrecido y aceptado
en el umbral de su nuevo país.

. . . .

PLIEGO DE TESTIMONIOS

1956-1958

VIEJA ALIANZA

I

Estudio el futuro,
lo leo en compañía de la vida, nuestra novia perpetua,
repentina doncella que nos dispara en plena frente
sus balas de polen
y hace crecer los resecos tallos
que sostienen al flamenco.

La vida siempre está en medio, como un frutero ardiente
o una fuente circundada por una canción de niñas.
No a la diestra, tampoco a la siniestra,
sino en el centro, en el zócalo destellante de negror,
en la vasta pupila como plataforma de obsidiana.

He visto a la vida sentar en sus rodillas al jardín y acariciarlo;
la he visto detener cocuyos de eléctrica clorofila en las pestañas,
temblar en lo alto, desangrarse sin fin
como el sol por sus doradas venas;
mil veces la he visto enferma de abundancia
cuando el sueño estampa sus caprichos en la pared inmaculada,
cuando sin previo aviso el puñado de sangre se vuelve una manzana
y agua simple, la transparente agua marina.

Pero yo no me deslumbro,
con serena parsimonia leo el futuro
en pechos abiertos como libros,
preparo la mirada para usarla una sola vez
y dejarla en blanco cuando pasen
las jóvenes cuyos pechos maduraron en tres días,
las altas jóvenes
recién embarazadas de flores y presentimientos.
No me impaciento, no me desespero;
a su tiempo vendrá la lluvia
que canta en su órgano de tubos transparentes.
A su tiempo, uno de estos días,
(apenas pueda caminar la hortensia enjambrada de lunas)
os presentaré al águila desprendida
que cede sus alas para hacer un nido.

II

Ya es mañana amigos.
No desdeñéis a la vida que retira de vuestras plantas
grasientos y viejos tablones.
para ofreceros un puente de turquesa.
No la desdeñéis amigos. Antes mirad
al que perdió su resplandor de niño,
a mí que no pude encerrar la luz en roperos de nieve,
ni anudar mis sábanas para escapar de la cárcel.
Miradme inmóvil bajo el abrazo de la ceiba,
con las muñecas sangrantes y esposadas con helechos,
gimiendo bajo la hiedra, mi verde camisa de fuerza.

Sin embargo mi padre celestial me defendió
cuando yo parpadeaba entre los huecos del muro,
como un negrito de feria
acribillado por la glacial puntería de los circunstantes.
Él limpió mis heridas con hélices de seda
y ya no fue mi cáliz tan grande como un cráter.

III

Dios que estás en el sol únicamente,
que prendes en el vasto cojinete planetario
las verdes agujas de la yerba; Tú, el más bueno,
claro torbellino que abres la puerta a la bailarina de alas rotas:
levanta a mis hermanos que tendidos en hileras
trepidan como durmientes de vía bajo el óseo convoy de la muerte.
Ven Tú en persona y cuelga del naranjo redondos faroles amarillos,
ilumina con tu sombra la tierra toda,
vuélvela pronto un astro de anís.

¡Amigos, si supiérais lo que la vida os quiere todavía!

Ella os embarca en seductoras barquillas de helio
para que veáis más de cerca cómo reina el sol
y cómo se ajusta su corona de planetas.
Os da la flor de nochebuena que toma con sus sangrantes dedos
los frutos que nadie alcanza,
se desliza con el rocío por la delicada rampa de las cabelleras,

os regala centellas sumergidas como anguilas de oro en los acuarios.
Por ella, los ancianos escuchan un recuerdo que les endereza
    el torso.
Los niños nada oyen, están felices:
lo que su corazón no sienta crecer,
no crecerá ni un solo palmo.

RAZÓN DE SER[*] .

1959

---

[*] Título anterior: *Delante de la luz cantan los pájaros.*

FUNDACIÓN DEL ENTUSIASMO

Oh entusiasmo cantor, tú rompes la bóveda de trinos
con el bullicio más alto y la canción más ávida.
Tu fuerza es el amanecer que flaquea sobre la colina,
el firmamento que descarga sus moradas cestas en el hambriento
     precipicio
y el follaje de campanas que prendes en la selva encantada.
Para ti que iluminas mi confianza,
desbrozo el camino y retiro las verdeantes trampas.
Para ti que fluyes en la gran marejada,
que eres tan débil como un hueso de tórtola,
tan vulnerable como la barda de geranios
y frágil como el guerrero que desafía el alud
con la sola y brillante oblea de su escudo,
trenzo esta vez mi ofrenda enamorada.
Para ti que posees la contraseña requerida para reinar en la
     Cruz del Sur,
que te lanzas el primero entre las vigas crujientes
y escapas de la noche del mundo por un cable luido,
para ti, palabra única, encarnación solar de todos los milagros,
estiro hasta el suelo las estalactitas de la poesía
y enciendo con extrañas ráfagas el corazón del hombre.

ENSAYO FINAL

Cuando rendimos el cuerpo al sueño
y el sueño a la muerte,
el eco del paraíso responde a nuestras imágenes huecas.
Brilla después el cóndor,
ladeado como un pequeño bonete sobre los hombros del planeta,
y abandonamos ropajes y vidas que se deshinchan en el aire
como lonas de un circo muerto.
Y al partir, qué lumbre increíble nos cobija,
cuando de pie, en la ola petrificada de los puentes
o en el puente levadizo de la mirada que ya no soporta más
     apariciones,
un orbe nuevo nos saluda
con rientes estafetas impregnadas en el agua y el fósforo del
     porvenir.

Un himno inesperado oprime hasta el derrumbe
las enormes teclas de las escalinatas,
se oye por encima de nosotros el dócil taconeo de faunos alados,
se levanta la raquítica bengala que nunca alcanzó la estatura
    del trébol,
se levanta la fuente que se inclina como una viejecita sobre cada
    instante perdido,
se levanta lo que tiene vida y canta y vuela hasta dejar al aire
    en carne viva,
se levanta la danza imperceptible y la más suntuosa:
la danza inmóvil en que ofician todas las nostalgias.

ÓRBITA DE VERANO

En verdad, en verdad deseo que nunca se borre de tu pecho la
    pisada amarilla de los astros
y que el hilo de la mirada siga moviendo el papalote más lejano.
En verdad debes creerme,
oh niña que te aferras en tu miedo
a las faldas arenosas de la tierra,
decisiva mujer a quien la fascinación ha dado más alas
de las que una selva necesita para vivir encima de sus pájaros.
Pues dime: ¿Qué harían las divinidades
estrenando un orbe y un follaje donde la presencia humana
no dore por segunda vez las hojas amarillas y el río con peces
    de topacio?
Ayúdame a dar un salto más allá de cualquier parte,
ayúdame ahora que mi pecho se consume en el culto de todas
    sus fechas especiales,
explícame ¿por qué la guitarra bosteza y vibra al mismo tiempo,
por qué te señala con tanta insistencia el índice de cristal de
    los arroyos
cuando la raya de fuego que contuvo a tantos
es apenas para nosotros, un reto y un delirio tan apacible?

LUZ EN RISTRE

La creación está de pie,
su espíritu surge entre blancas dunas

y baña con hisopos inagotables,
los huertos oprimidos por la bota de pedernal
y la fría insolencia de la noche.
Los colores celestes, firmemente posados en los vitrales,
esponjan siluetas de santos;
un resorte de yeso alza sobre el piso miserable
sombras que bracean con angustioso denuedo.
Mientras el cuerno mágico llama a las creaturas gastadas en el dolor,
para que el vértigo maravilloso instaure su hora de resarcimiento
y la ceniza despierte animada en grises borbotones.
La única, espléndida, irresistible creación
está de pie como una osamenta enardecida
y sobrepasa todas las esclusas, toca en cada llama la puerta
    del incendio,
ensilla galaxias que un gran mago ha de montar,
cuando el espíritu patrulle por el alba
hasta encontrar los pilares del tiempo vivo.

ESTADO DE GRACIA

Veo imperiales artífices
absortos en el columpio fijo de sus andamios,
veo catedrales de hermosura
con un ramillete de escultores en cada hombro,
tatuajes que crecen hasta dividir el mediodía
y que la multitud olvida
cuando la invocación del trovador destella con largueza
y cuando el rey, en vez de capa,
ostenta una larga piel de mariposa.
Veo hamacas tejidas con jabonadura incandescente,
veo brillantes que esplenden como un terrón de lágrimas,
veo el invierno desmoronado en migajas de agua y en granizo,
veo tu pecho que crece hasta ser la cárcel del aire
y que retiene el alba como una condecoración y una reliquia.
Mas yo sé que todo este revuelo inaudito
lo levanta tu presencia que ha llegado por un acueducto milenario.
Nada ocurriría si con tu vestido no estuvieras más desnuda y más
    hermosa
que una joven bestia suspendida en una telaraña azul,
nada pasaría si no depositaras tu sonrisa en el tierno buzón de la luz;

33

habría silencio, demasiado insomnio,
si el infinito que bebes no fuera medida entre tus labios
o si yo no estuviera seguro de que el reverso de tu lápida
por muchos siglos estará lleno de flores.

VÍSPERAS

Cuando la radiante asunción de la noche inaugura las chispas
que el poder de su alquimia convertirá en planetas,
nacen seres propicios madurando en conchas tornasoles,
aparece el conejo que poda con afelpadas tijeras
la cabellera del silencio
y se graba sobre el valle luciente y recién llovido
el súbito paso que sobre la llama no nos quema
y sobre el agua sí nos humedece.
¿Serán éstos los albores de la fiesta,
las colmadas primicias que apenas nacidas
ya desfallecen, aniquiladas por la dorada combustión
de un júbilo sin límites?
Y este primer vagido de la campana recién nacida,
¿será la señal que aguarda el prodigio
para irrumpir con taciturno brío estival
sobre los muros de jade salado que levanta el mar,
sobre esta llanura desmantelada de todo verdor
y que hoy, por la primera vez,
arponean sin compasión los destellos de la dicha?

UNA AVERÍA CERCA DE LAS ALAS

Para José Enrique Moreno de Tagle

En la pira blanca las garzas reflejan al sol,
mas el hombre no está maduro todavía
para huir con todo y realidad.
Descabellados mirajes interrumpen la crucifixión del vuelo.
Y desparraman su fulgor enharinado
sobre las tiendas de campaña y las apacibles chimeneas.
Y no es que el hombre se resista a presentir su propia inmensidad
y no se impulse con inquebrantable candor

34

hasta formar con sus saltos un vuelo único.
Me consta que emprende fervorosos paseos
bajo enormes candelabros de ojos encendidos
y brazos incansables que sujetan estrellas propias.
No, no es que se resista al espacio luminosamente fajado
    con las franjas del iris,
o no quiera empuñar el dorado timón de su linaje,
sino que desde muy antiguo, desde que la primera flecha aún
    ostentaba ramas,
no ha sabido huir en hombros de la poderosa realidad.

CANTOS AL SOL QUE NO SE ALCANZA

1961

LA DESPEDIDA DEL BUFÓN

Se ajaron mis ropas de polvo colorido,
al fondo del mar mis vestiduras devolví;
ciego quedé junto al estanque,
junto al río desmayado por un coletazo de su propia espuma.

En vano busqué la imagen mía
mirándome en el espejo oscuro de los girasoles;
perdí el brillo inmortal liquidándolo a grandes sorbos
y también mi franela para limpiar la luna
y el puerto donde el atardecer cae de rodillas.

Perdí mis entrañables pertenencias,
mis lujos de hombre sin nada,
la mirada antigua que crecía
a la velocidad con que el tallo persigue su follaje.

¿Dónde quedarían mis palacios de agua con sueño,
dónde las enormes hojas blancas
que el invierno desprendió del mástil?

¿Las águilas del centro de la tierra,
los taciturnos inventos de aserrín,
mis bienes todos, apenas mensurables en latidos y alegría,
en qué pliegue del caos hallaron sepultura?

Damas y caballeros, piedras y pájaros:
es la hermosura de la vida lo que nos deja tan pobres,
la hermosura de la vida
lo que lentamente nos vuelve locos.

Oh señores, señoras, niños, flores:
mi corazón comparece por última vez ante vosotros,
se ajaron mis ropas de polvo colorido,
al fondo del mar mis vestiduras devolví.

TODOS JUNTOS EN DICIEMBRE

Pendones y oriflamas
movían los ojos muertos de los peces,

el astro estaba cerca quemaba las pestañas,
aquello era demasiado y el profeta enloquecía
poniendo en orden el avispero de prodigios.

Diciembre se marchaba escoltado por la nieve de las últimas dalias,
pompas de turquesa
volaban por el cráter de una botella sacudida:
todo era cierto porque la ilusión
confundía en un mismo cuerpo
la nostalgia refulgente y la caricia renovada.

Era el mediodía que yo celebro
y tú levantas como una custodia derretida en su fulgor,
era el mediodía del ser
que él aprieta en su puño
y ella besa como a una vieja muñeca recién recuperada.

El mediodía del ser
que nosotros descubrimos
y ustedes defienden con trenos de monja y manotazos de soldado
y ellos que siempre han sido magos,
instalan para siempre en los altares de la perfecta esperanza.

ESTE IDIOMA. . .

Este idioma brutalmente virgen
y no catequizado
que sin pasar por la palabra
salta desde el aullido hasta el canto;
este aire tan delgado
que avanza por los rulos del sibarita sin tocarlos,
este aire tan ancho como el aire
es mi tropa de esquiroles, mi batallón de choque,
mi sonaja para defenderme de los bieldos,
mi tanque guerrero para cruzar las avenidas de alacranes.

Este idioma no catequizado
dirime a besos y estocadas mis asuntos:
cien años de vivir lo hicieron una rosa,
una rosa y un testigo, un ojo abotonado
en la cerradura de las civilizaciones nacientes y caídas.

40

Es un idioma de amantes encerrados en la aurora,
una escafandra al rojo blanco
que sube a los postes sin alumbrado.
algo sin silencio ni palabras,
en esencia repentino
como la erupción del ser en la palma de la mano
o un barco transportando al mar en la comba de sus velas.

Este idioma es sólo mío
cuando contiene lo que el cristal contiene,
cuando el hombre se desmaya y refluye
como un tronco o perfumado cetro
hacia la mano que empuña la creación entera.

Y eso es cuanto sé del idioma brutalmente virgen
y no catequizado, que va desde el grito hasta el himno
rozando apenas las palabras.

LINCE Y AZULEJO

I

Bajo el agua
apenas se toma el aire necesario
a través de un largo carrizo de cristal.

Entre cobertores de hielo
helechos carbonizados duermen.

Nadie vuela, nada avanza ni se mueve:
una hipnosis fatal
nos suspende entre la música del espacio
y su colmena de abismos.

No llevan más los hombres violetas muertas
a sus bullentes sepulcros,
ni resuena el tambor insomne
bajo las goteras y los dedos de las ramas arrancadas.

41

II

Mas he aquí al lince de juventud extrema
volviendo en sí antes que nadie,
y también al sedoso azulejo
enmudecido en la huerta que canta.

Lince y azulejo, apenas sobrevivientes,
han soñado lo que ven
y han visto lo que sueñan:
esa llama levantada de manos como un caballo
en la extensión inerte,
la negra llama del ciprés
retorciéndose en la llanura inmóvil.

Lince y azulejo
han tenido que soñar para verlo todo:
el olor de las islas saltando tapias remotas,
la frágil barcaza de cada pétalo
cuando transporta escarcha impaciente,
inmóviles insectos
hacia la orilla en que niebla y tiniebla
se abrazan pero no se funden.

VIVIR VIVIENDO

Bate los brazos, insomne mía,
que la brisa mueva su yerba de durazno
mientras resuena el cascabel en tus pulseras
y el portón de albayalde nos ciega levemente.

Gire contigo la rueda de la fortuna
pues hoy desafío a la monarquía nocturna
y sus latitudes borrascosas.

Hienda el mascarón de proa
los polos de parte a parte:
veamos al otro lado, en el confín antípoda,
la cascada que oculta su falta de rostro
bajo la cabellera incandescente.

Usemos en vez de anzuelo,
reflejos que despiden los cuerpos de los peces
y cuando el oxígeno se vaya
respiremos luz únicamente.

Caigan los aldabones como peras de bronce:
la voluntad, músculo invisible,
moverá las aguas del espejo.

Estemos juntos entre la fragancia que no pasa;
vivamos despiertos, preparados,
disponibles y en trance de arrojarnos
al cráter del amor
desde un sueño en marcha.

CALLEJÓN CON SALIDA AL SUEÑO

Uno cierra los ojos
casi seguro de volverlos a abrir en otra parte,
uno cree, casi está seguro,
de que la sombra del dios aún pesa en la balanza.
Cada semilla es un amuleto para sortear la nada.
Por su plegaria al fuego memorable
el día junta las alas en medio de su pecho
y en la cumbre cegadora mi alma clama
por un puñado de milagros que la sangre entienda.

El delirio es tabú.
Nadie se ponga a corregir sus sueños
cuando por cada cosa que vuela
se consume un racimo de cometas,
cuando uno sabe que el viento es cadena de sollozos
y que muchas voces soplan sobre las plegadas velas.

Yace la tierra
entrañablemente cerca de sus muertos,
en los polos la aurora cumple un mes de nacida,
torna al sol el duende tornasol,
la campana mayor, sombrero de bronce sobre un mechón de
    pájaros,
me da por primera vez los buenos días.

Las únicas cicatrices bellas
están hechas del plomo que cubre a los vitrales,
las únicas cicatrices que deja la hermosura
destellan sobre los claros jardines
donde el sueño agita espadañas de cristal de roca
y donde baila el corazón, almendra incontenida,
entre labios que se posan en otros labios
inaugurando la cruz florida del deseo.

Uno encima pilas de aureolas
y anuda largos ríos para medir el universo,
enloquecida virgen que nos ofrece su cuerpo con señales furiosas.
Uno reposa.
Descansa en la cueva de escalonadas sorpresas,
en la hendedura multiforme
donde el tajo de una lágrima airea la cal de los pómulos,
el revés y el envés de la reflexiva calavera.

Uno toma el sol, todo el sol que ha existido.
Uno se estira como un leopardo entre el perfume verde.
Manos indiferentes
ordeñan el último fulgor de los volcanes aquietados,
manos como flores
despegan al niño de su pañal de zarzas.

Pero no estoy triste, sólo un poco fatigado,
porque la vida no hace nunca lo que quiero;
no estoy fatigado, sólo un poco triste
por decorar con tanto exceso
vasijas de espuma y peceras que se rompen.
No estoy triste ni tampoco fatigado:
el astillero se hace a la mar embarazado de balandros
y el pandero no suena porque sus discos de metal
en jazmines se han trocado.

Por el delgado firmamento
que un golpe de cabellos suele quebrar,
bajan dominaciones y potestades a dormir aquí,
junto al toro blanco,
siempre remecido
en la tersa hamaca de su vientre.

Entre delirio y más delirio
uno reza porque Dios nos vuelva más honestos
y por el limpio gozo de nuestras vacaciones en la tierra
y porque los dedos persigan todo cuanto escapa:
la munición de mercurio, el fruto escurridizo,
la carne de gasa que te envuelve, señora irreal,
mujer cifrada y nunca retenida.

Nombro otra vez la munición de mercurio y el fruto fugitivo,
porque me dan idea, señora, me dan idea
de cómo eludes la sigilosa emboscada
cuando te busca mi antorcha azul hasta la raíz,
cuando te abres paso en la noche
hacia lentejuelas de primera magnitud.

Ya te dejo en paz, luminaria inaudita,
hegemonía lustral que yo persigo en vano,
espectro de lo que nunca ha venido,
de lo que viene y va, por el ancho tobogán del iris.

¡Oh imperio mío de sueños que me sobreviven
y me condecoran con alas de verdad!
Yo sé, siempre lo he sabido,
respirar y latir no es lo mismo que sentirse vivo.
Quizá por eso uno cierra los ojos
casi seguro de volverlos a abrir en otra parte.

SE AGRIETA EL LABIO NACE LA PALABRA

Para mi gran amigo Arturo González Cosío

Se agrieta el labio nace la palabra
Surge un otoño de hojas verdes y perpetuas
Aquí es allá el norte ya no existe
Vamos en viaje todos
La isla avienta contra el aire su ancla milenaria

Solas se dicen las palabras
Pálidos rubíes que manan de la plena bonanza
Arados de luz sobre las aguas

Unitarias palabras semejantes
A una selva que se vuelva un árbol
Un mismo árbol creciendo
Como un solitario y fabuloso perchero para pájaros

Hay que apilarlas como pesos de fuego
Pagar con ellas por el milagro que conceden
O echarlas a volar como una baraja de cantáridas
Bajo la piel de ciertos ciegos

Se agrieta el labio nace la palabra
Viajamos por una ventana erizada de sonrisas
El castor hunde su diente minucioso en pilares de ceniza
Caminan las palabras por la calle torturada
Que va desde la garganta al infinito
Marchan las palabras en perfecta disciplina
Hacia la gorjeante emboscada de sí mismas

Ellas nos habitan o nos matan
Denodadas palabras
Llaves maestras de los pechos
Que también abren la caja fuerte y porosa de las piedras
Ellas nos comunican o nos matan
Y suben por la noche los tejados
En que autómatas orean sus camisas de lámina

Se agrieta el labio nace la palabra
El cielo agita su collar sonoro sus brazaletes de campanas
Corremos montados en el ciervo que perseguimos
Aquí es allá
Traspasamos la estallante hornaza
Que mueve rizos de mármol en la cornisa
Hemos llegado
Por una rendija en el misterio
Al corazón de la palabra hemos llegado.

RÍO TAN LARGO DEL AMOR

Río tan largo del amor, yo te reconozco, verde granizada,
huracán de esmeraldas sobre los vidrios pringosos.

Apareces cuando nada te presagia
y entonces ardes, te transfiguras, me dispersas
como una tempestad que apaga
los cirios consagrados al olvido.

Río tan largo del amor, yo te reconozco
y te saludo con la risa que agrieta campanas
en este valle iluminado desde la mina hasta los cielos.

Oh esplendor que estallas a quemarropa:
los cuerpos se trenzan sin previo aviso
y tu delgada barrera de rocío
impide apenas que se vuelvan uno solo.

Por esta vez al miedo de vivir
con la confianza respondemos.
Estamos de fiesta:
el horizonte nos venda la cabeza
y pasa de puntillas, despertándonos apenas, el río
        inmenso del amor.

CUÁNTA PENA Y TRISTEZA

Tantos esfuerzos, Señor, tantos esfuerzos
contra rocas de no importa qué estatura,
tantos esfuerzos sin que la tierra y el porvenir se casen;
tantos esfuerzos por esto y por aquello,
entre la abundancia del caos
y las miríadas de miradas
que ocultan tu desaparición.

Cuánto desánimo para quien abre surcos fugitivos
con la punta del menguante,
cuánta pena para Ti
—que sembraste el hinchado mástil lleno de aceite y sal
en el mismo lugar donde antes fue cortado—
ahora que los sacerdotes prefieren la sangre de tu vino
al vino de tu sangre.

Qué tristeza para Ti
Dios de la infancia y de todo tiempo subsecuente.

CANCIÓN PARA CELEBRAR LO QUE NO MUERE

Hijo único de la noche,
negreante espejismo que me llevas a cometer serenidades,
silencio indispensable, necesario para la quilla del harpa
que entre las ondas del éter se abre paso.

Hijo único de la noche
que bordas con la mayor impaciencia
un buque rojo en el bastidor lunar;
vuelve desde tu castillo crestado con el festón de mis halagos
y brota en mí como una columna de palomas entre el mosaico roto,
como un géiser de soles bajo la fisura del párpado,
pues sin ti el señorío del capricho se intimida
y no se trenzan los cuernos del buey,
ni se anudan las paralelas,
ni vuelve la carne al muñón
con una estrella entre los dedos.

Acércate ahora que el surtidor eleva
su ramillete de rizados sables; óyeme,
óyeme al fin, sanador de los estragos torrenciales,
amable silencio amado y amante:

"Se pasan yermos, riberas,
túneles como un sinfín de claras cúpulas
y otros túneles amargos por donde el aire ya es de piedra;
se conversa con extrañas aldeanas
que llevan al mercado canastas de fémures inscriptos,
se atraviesan pueblos sin oriente, sin calles ni paredes encaladas,
al desierto se llega,
ileso y sangrante, el roído espíritu intacto,
al país de los derrumbes llega."

Algo, entonces, sobre la conciencia fatigada,
rompe la lívida yema lunar.
Un mirlo baja hasta el pebetero de rosas podridas
y al clima de fragor no con un himno ni una canción responde,
pero sí con el ajado balbuceo
que en su letra y su espíritu,
oh silencio de las grandes ocasiones, así te invoca:

48

"Que siga la cacería de azucenas,
y manchas verdeantes en las rodilleras
digan por cuánto tiempo y con qué amor
nuestras almas se hincaron en el prado.

"Desborde el fuego mares limitados por otros mares,
y la presea que el adalid ya no detenta,
estalle en nuestras manos,
granada repleta de jazmines,
nube clara manchada de cielo,
nube tan clara, tan cierta acaso, como esa niña que vi
pegada con sus labios a una mariposa.

"Separe cada uno con tenazas de jade
la pluma que brilla entre la resurrección y la catástofre
y luego nos visiten ángeles enfebrecidos y prudentes
que quieran ser amor antes que ala.

"Salgan del abismo flores bárbaras
nunca insultadas por la vista ni la mano.
Repose por mil años la fresca luz de otoño
en barricas de ámbar
o en sueños tejidos con mimbre de relámpagos.

"Y esa denodada luz subsista
cuando no haya podredumbre para formar gusanos,
ni palas para remover la tumba,
ni cedro alguno para construir la caja fúnebre.

"Nos sobrevivan luz y silencio entremezclados formando lo
        deseable.
Sobre todo esa luz en que flotan caravanas de sonámbulas
        sandalias,
esas ráfagas de luz
que descienden por las brillantes laderas
de unos inolvidables cabellos desplegados."

AL SALIR DEL TEMPLO
(fragmento)

Quien seas, no llores más,
pues yo doy mi pobre ración de viento y mar
por que todo se olvide y todo recomience.
Entrego mi negra corteza con lunares de escarcha
para que el espíritu asiente su claridad
en el aéreo tálamo de otras albas.

Doy mi vida ensimismada en esta vida
y toda mi maquinaria interna
bruñida por infatigables olas de pensamiento y deseo.

Ofrezco la tierra serenada,
mi preciado funicular
que arrulla cometas en su primera infancia;
los elfos de mis lejanos días,
el hada que anegada en mi bautismo
inventó mínimas catapultas
para lanzar hasta Neptuno estrellas como granos de anís.

Doy cercenados meteoros e imaginaciones sin cuento,
también el tatuaje amarillo y rojo del éxtasis entrego,
para que todo se olvide y todo recomience.

FUNDACIÓN DEL ENTUSIASMO

1963

ATRÁS DE LA MEMORIA

De hinojos en el vientre de mi madre
Yo no hacía otra cosa que rezar,
Por la grieta de su boca perfumada
Alguna vez el resplandor externo sorprendí;
No estaba yo al corriente de la realidad,
Pero cuando ella sonreía
Un mediterráneo fuego se posaba
En el quebradizo travesaño de mis huesos.

Era el impredecible amanecer de mí mismo
Y en aquellas vísperas de gala y de miseria
Pude oír el eco del granizo
Tras la nerviosa ventana carnal;
Arrodillado estuve muchos meses
Velando mis armas,
Contando los instantes, los rítmicos suspiros
Que me separaban de la noche polar.

Pronto empuñé la vida
Y con manos tan pequeñas
Que apenas rodeaban un huevo de paloma,
Jugué a torcer en mil sentidos,
Como un alambre de oro,
El rayo absorto que a otra existencia me lanzaba.

Cabellos y piernas con delicado estrépito
Saludaron al semáforo canicular.
Entonces halé hasta mis labios
La cobija de vapor que yo mismo despedía
Y me dormí en la profunda felicidad
Que uno siente cuando conoce el aire.

SUPREMO VISITANTE

Oh reliquia del futuro:
Agita sobre los pinares
El invisible salero de las golondrinas
Y que al cortar el pan,

El pan apenas sangre,
Y la flor, estrella del asfalto,
Se deslice inacabablemente
Y en la rada se detenga
Como cualquier visita submarina.

Te pido lo que un juglar
En día de fiesta:
Ante todo tu hierro de propiedad
Sobre mi frente,
El lirio que flagela eternidades
Y los dorados cabeceos de la polar antena
Cuando sorprende un vapor enrarecido en música.

Oh instante lamido por las llamas:
El fémur ya es túnel de tus delgados emisarios,
Pegado está el álamo a sus discos de plata enmudecida
Y luce el peral sus moños de nieve tibia.

DILEMA

Para Tom y Valerie Raworth

El sol de la claridad
Y la claridad del sol
No son lo mismo:
Prefiero la claridad del sol
Porque me despierta
Y ya puedo caminar
A la velocidad
Con que me olvidan mis promesas.

Sentada en medio del camino,
La claridad hunde su espada
En la giba de mi casta:
Ella ríe y yo sangro
Y ambos nos reunimos
Junto al mantel a rayas
Que extiende una mujer
Casi divina y casi llorando.

VENDIMIA DEL JUGLAR

1965

CICLO

Un resplandor un trueno y luego nada,
Hastío tal vez,
Preocupación por tu cuerpo que no llega,
Vigas en el ojo ajeno y en el propio,
Cierta pantera prensada como flor
Entre las tapas ardientes de la noche;
Acaso tú
Mojada fabulosamente en la esperanza,
Quizá los anillos
En que un planeta baila sin hallar salida;
Un resplandor,
Un trueno sin relámpago ni víctimas,
Un harnero en el pecho
Que sólo deja pasar el oro molido del recuerdo
Y otra vez tú, blanco aluvión
Que miras en la hora de las visitaciones
La torre que para dormir
Ha de volverse escombros,
Plegaria desnuda,
Sollozo alargado hasta el alba por el viento
Y un resplandor,
Un trueno
Y luego nada.

DOS CARAS Y UNA MEDALLA

No te sorprendas si ahora recuerdo
El trompo, los juguetes rotos,
La margarita que dice "sí" con el último pétalo arrancado
Y el grave privilegio de hablar bajo las sábanas
Cuando el padre y la madre nos creían dormidos.

No te sorprendas si en aquel tiempo irisado
Ardieron otros tiempos cuya escolta no eran los meses,
Sino tus cantos, amor mío,
Ráfagas que la música encendía
Y que llevadas por un viento amarillo,
Deshojaban en la bahía calendarios de velámenes.

Cerrabas la boca y era como si el último amén
Del último rezo hubiera sido dicho,
Aquello era un pensamiento estatuido para siempre,
Era el amor columpiándose
Entre dos balcones de mirar ensimismado,
Éramos los dos un limbo de azucenas
Refutando con besos al olvido.

Hoy la espesa venda estratosférica
Cubre nuestra soledad
Y nadie propaga el cáncer divino de la luz
Y pocos se sobreponen al miedo
Que arranca a tirones las aldeas.

Pobremente vestido
Y hurgándome los bolsillos en busca de palabras,
Voy a la fuente de ramas tornasoles,
Hacia el clima cuya desmesura
Hace mi contento.

Voy por ahí como un duende en su botella,
De playa en playa buscándote,
Aun cuando sé que el azar funciona poco
Y el milagro casi nada.

Todo tachonado de heridas sigo adelante,
Busco tu rastro
Mientras la provincia en ruinas
Acaba de desmoronarse
Y bandadas de bandadas hacen imposible
Que uno sorprenda el color del cielo.

METAMORFOSIS

Hoy tengo confianza,
Hoy me hablo de tú a mí mismo,
Bailo gavotas en la tarima de fresca lava
Y entre sílaba y sílaba, en vez de acentos,
Intercalo astillas de esperanza.

Y es que los muertos se desmayan
Y el maniquí se ruboriza
Cuando el armonioso oleaje
Exalta y deprime
La durísima curvatura de su pecho.

La hora de redención al fin resuena
Elevándose entre los ecos de alas palpitantes,
Mientras la carne múltiple se amarra a su destino
Con el acero azul de sus tañidas venas.

Y el cuidador de parques y jardines,
El empleado postal y su joroba de cuero,
La prostituta con su cuerpo aplastado bajo una caravana
Incesante de caricias;
El marino, el soldador de estructuras metálicas,
El burócrata hervido en el fuego lento de los números,
Meticulosamente han resucitado
Desde el nadir de su vida rígida,
Cual yelmos resonantes
Que una diosa de ocho brazos blande
Cegando al mar con su cardillo denodado.

Hoy tengo confianza,
Hoy me hablo de tú a mí mismo.

MUCHACHA CON SANDÍA

Enmetalados serafines que se incendian
Al contacto de la atmósfera,
Días en que yo temblaba
Porque ninguna gota del torrente se me cayera del regazo;
Agua en andas
Y torres de bolas de nieve
Prodigiosamente equilibradas en un dedo,
Días en que nacieron corales
Escupiendo sangre sobre manteles enterrados,
Días urgidos de serenidad y de cabellos blancos
Y de columnas idas a pique
En las fauces de un verano inabarcable;

Agua en llamas que te entrego,
Legiones de alhelíes que golpean tus hombros
Como un espaldarazo de perfume,
Porque al fin desentierras mis canciones,
Abres las entrañas del tiempo
Y esta sandía tachonada de negras balas
Y grande como el corazón de una nave:
En tus manos era, hace un momento,
Lisa piedra verde
Que opuesta al mundo, contrapesaba la balanza.

RECADO A MIS HIJAS

Pequeñas mías:
Hoy se detiene el amanecer
En la pupila azolvada
Al pensar que os defiendo tan mal
Tras el escudo inservible
De mi gastada corbata.

Pequeñas mías:
Respirar se paga con la vida
Y sé que vuestra bolsa se abrirá
Y que la enorme cuenta del gozo quedará saldada.

No puede vuestro padre terrenal
Evitaros una sola pena
Y es vano que él vigile
Entre los poros del cielorraso,
Por si la vida viene a despertaros
Con su plumero de buitres en ayunas.

Os ruego sin embargo:
No creáis que este azorado plañir
Es toda mi herencia.

Os dejo un mundo anclado sobre el mediodía,
Arroyos que debéis mecer en el regazo
Como hilos de muñecas deshiladas,
A Jesús escalando el arcoiris
Desde que oyó la primera salva del silencio.

Os dejo luceros que se equilibran
Sobre los postes de vuestras cabeceras,
La sangre insondable de mis padres,
En dosis suficiente,
Para tañir por dentro
Cuando se hayan muerto las campanas.

Pequeñas mías:
Id al jardín
Mientras el padre se incorpora
Y reza con los dedos trenzados
Para que sirva de algo
El escudo estrecho de su gastada corbata.

TRANSFIGURACIÓN MARÍTIMA

Unidas permanecen las bocas
Después de que el beso fue borrado.
Acostumbran los surcos prolongarse
Cuando yace muerta
La bestia insomne que los ha trazado.
Las cadenas aprietan y aprietan
Cuando el esclavo ya navega
En el río coloreado del cohete.
Mas la amante del fondo del mar,
A caballo sobre salvajes reflejos,
Arroja el lastre de su pensamiento
Para elevarse más aprisa:
Ya nadie la ve,
Bien lejos está
La que domeña los astros
Con su forma de morir.
Viniendo de atrás como el alma de una espada,
Recuerda unos compases,
Un aire marcial que ordena de dos en dos las hojas.
Viniendo de atrás, luego de apacentar hoscos metales,
Su llama se hace más oblonga,
Rompe su anaranjada cúpula
Y a otro cuerpo sin cuerpo se incorpora.

ASUNCIÓN DE LA TRIPLE IMAGEN

La sonrisa candeal,
El bosque de arlequines encendido en plena madrugada,
La nadadora que parte el puente con la sombra de su brazo,
Pero a veces no se fija adónde apunta ni a quién derriba;
Esa sonrisa, digo, ese bosque,
Esa nadadora tendida còmo un collar
En su espumante estuche,
Desbordan el arcón de las visiones,
Sus fantasmas de carne yerguen
Y son testigos, presencias
Colgadas de una cruz
Que desentumece sus maderos
Y rema, aire arriba,
Hacia la rotunda dulzura del poniente.
Tal sonrisa, dicho bosque, semejante nadadora,
Hablan por los muertos y los vivos,
Encarnan la fogosa soberanía del labio
Cuando a torrentadas lavan antiguos encantamientos
Y fundan desiertos que engañan al miraje,
Centelleantes celosías
De jabonadura indestructible
Alrededor de la palabra, nuestra madre blanquísima,
Cuya luz siempre desflora la punta de mis dedos
Y la región extrema de mis armas.
Y es que la sonrisa, el bosque,
La nadadora cruzada por la inmensidad,
Son palpitaciones que astillan lo entrevisto,
Botellas donde cloquean los jugos volátiles de la resurrección,
Emisarios del pasmo anudado en la garganta,
Imágenes, sólo imágenes batidas al azar,
Uniéndose como escala de trenzas amarillas
Que baja desde la nevada torre
Hasta el fondo de los bajeles sepultados.
La sonrisa, el bosque, la nadadora:
He ahí la triple flor que alza en vilo a este poema,
Mi can de tres cabezas
Para velar el sueño de mañana,
Mi triángulo ciego,
Mi tridente que punza marsopas desganadas:

Imágenes batidas al azar,
Farallones de cristal ardiente
Nacidos para conquistar
Y no ser conquistados.

ALA

A María Díaz de González Cosío

Ala que me ayudas a darle nombre a cada yerba,
Sólo cataplasma que tolera el cielo herido,
Ala capaz de abofetear el interior de una pagoda
Y de hacerla estallar en miles de mosaicos rotos;
Ala en desorden,
Vivo abanico para las estrellas
Siempre sentadas en su gran temperatura,
Ala pacífica, pulso de la claridad,
Sombra que das vuelta a las páginas del jardín,
Ala religiosa,
Ala magnífica,
Parasol de seda sobre la salamandra ardida;
Ala que arrancas al arpa taciturna
Instantáneos alaridos,
Ala espléndida,
Ala repintada con dos manos de escarcha:
Ahora estás en mi puño
Enrollada como un florero
Donde surgen, tallos súbitos,
El mito y la certeza.

LAS FUENTES LEGENDARIAS

1966

CONSEJOS A UNA NIÑA TÍMIDA O EN DEFENSA DE UN ESTILO

Man be my metaphor
DYLAN THOMAS

Me gusta andarme por las ramas. No hay mejor camino para llegar a la punta del árbol. Por si no bastara, me da náuseas la línea recta, prefiero al buscapiés y su febril zigzag enflorado de luces. Y cuando sueño, veo frontones apretujados de joyas donde vegetaciones de relámpagos duran hasta que enhebro en ellos conchas tornasoladas en el más profundo gozo. ¡Al diablo con las ornamentaciones exiguas y las normas de severidad con que las academias podan el esplendor del mundo!

Y tú, niña mía, no vengas a lo de ahora en la noche con un frugal listoncito en el corpiño y las manos desnudas. Quiero ver sobre la parva cascada de tu pelo, esa tiara de ojos verdes que hurté para ti cuando el saqueo y la sinrazón tiranizaron mis sentidos e irguieron en el osarlo las clarinadas del escándalo. Atrévete a venir vestida de exultación y de verano. Y si al pensar en los riesgos te inquietas, no hagas caso, piérdete en cavilaciones sobre la estructura íntima de Andrómeda. Levanta el cuello de tu abrigo. Mira de arriba abajo como una estrella desdeñosa. Y cuando estemos lejos de este mitin de notarios castrados, cuando tu cauda de vajillas rotas les haya perforado los delicados tímpanos, tú y yo nos complaceremos como nadie en un ramo de flores rústicas.

LAS MANOS

Para mi hija Gabriela

Amo estas manos. Destinadas por Dios para concluir mis muñecas, también son las privilegiadas que te acarician y tañen. Ante unos ojos las despereza. Elevo el dedo meñique, tallo para la luna, espiga rematada en coraza de cal. Elevo otro dedo, el cordial y, ya con ambos en movimiento, diseño para mis hijos, en un muro de pronto habitado, animales de vívida sombra. Los niños se asombran de que existan burritos negros capaces de correr por llanuras verticales, por la escoriada pared donde hasta hoy sólo moscas han reinado. Ellos están contentos de ver unas manos que contienen tantos animales como el Arca de Noé. Con esas manos entreabro el higo más dulce; cojo al pez en la curva de su rizo relampagueante. A veces mis manos llegan a juntarse tanto que entre ellas el cadáver de una plegaria apenas cabe. A veces las arrojo al espacio con tal ira o alegría que no me explico por qué se quedan enclaustradas en el ademán. No me explico muy bien por qué no vuelan.

EL REPOSO MATA AL CENTELLEO

Uno mete en camisa de once varas a sus dioses preferidos. Uno estalla con alegría de volcán que estrena calzones de lava nueva o inicia derrumbes de plantas venenosas cuyo penacho repentino fustiga a los fantasmas del agua. Harto de veras, uno arroja su espíritu antepasado en letanías de relampagueante punzadura: "Abajo los ladrones de moscas, las sombrillas verdes, el caracol en cuyo útero helado la tempestad pugna por adquirir su forma decisiva. Sí, abajo el guerrero, el hombre de paz, la prostituta que exorciza al orgasmo con abanicos sangrientos. Abajo el alfil de hielo que se licúa en el momento de la victoria. Viva yo y mi séquito de calaveras azucaradas. Yo y el cactus en que ensarto a mis enemigos. Yo y quienes se anudan el aire tras la nuca y afirman no traer ninguna máscara." Una vez dicha esta letanía, se entra a zonas de plácido desgano. El reposo asesina al centelleo. La ira se congela, pausa de turquesa en medio de una calma todavía más grande y más azul. Después sólo resta anudarse bien la corbata, tomar el portafolios y ya en la calle, cumplir apariencias en que la humanidad ha creído encontrar las raíces de la salud.

EL HECHO ES QUE TÚ CAMBIAS

Has jurado no hablarme hasta que el faquir escupa su espada y abandone el escamoteo voluble que define a la religión de los oficiantes más sabios. Entretanto, sólo tus queridos alrededores —un pie, tal vez la ceja que se dobla como puente de bambú entre tenazas de viento— charlan a vela desplegada con el ávido silencio que te pretende vivir.

Y pienso: "Lo que no tiene cuerpo no vuela." Mas no debo preocuparme porque regresarás a tu forma original cuando se cumplan ciertos rituales en que el absurdo y sus enjambres fingen devorar cada puerta con el peregrino propósito de que haya más y mejores callejones sin salida. Cuando tal delirio cobre realidad, concluida tu misión insondable, vendrás aquí para ser izada hasta una cima conveniente.

¿Y cómo no vas a obtener tal cima conveniente, si ayer mismo un pulpo de papel enlazó tu cintura y bailó contigo, cometa gentil, entre nubes supremamente alfombradas? Ahí estuviste pecho a cielo; ahí estuviste, incendiaria incendiada, durazno al que se le respeta el vello pero no la piel.

Ahí mismo ganaste el aire como un gladiador su absolución remota. Hoy por la mañana, en cambio, disfrazada de versión número nueve, envuelta en ligero verdín mimético, has ido al circo sin estar convencida de ti misma pero dispuesta a disolver este mundo cuyo mérito no corre parejo con tu luminosa costumbre de habitarlo.

Sobre tus planes apenas caben predicciones. Tal vez no quieras saber nada de nada hasta que el invierno arribe. El hecho es que tú cambias; aturdes al espejo con gestos que lo obligan a levantar el brazo con el cual no te has persignado. Cuán distinta eres a cada instante. A veces rezas como sólo un castaño arrodillado sabe hacerlo. Mas yo prefiero verte —y no me avergüenza mi moral en ruinas— cuando al asumir tu carne de hada joven, finges pudor tras un biombo de vidrio y en seguida te masturbas con el pausado furor de una odalisca abandonada.

LIRÓN EMPEDERNIDO

Despierta ya, ángel de baba y salitre, bagazo de ti mismo. Despierta porque ya se te hizo tarde, ya se te hizo nunca. Lluvias y premoniciones te han dejado las extremidades completas no sin antes cercenarles el mundo, ese animal ligeramente lento, aperaltado, fácil de amar si uno elude a sus huestes tan verdes como bien disimuladas.

No quiero decir más sobre ese animal tan rico en metamorfosis. Sólo aclaro que apenas pasa, te dispones a olvidarlo como a un pequeño drama en tecnicolor que al principio estruja en ti subsuelos sentimentales y luego te horroriza por su fragilidad. Dime, ¿nunca encuentras suficiente razón para permanecer despierto? ¿Abandonas la tumba cuando el ajetreo de quienes pasan encima no te deja dormir? ¿No respondes? Yo que tú diría algo aunque la canícula aciaga me hiciera tropezar con las paredes del averno.

Naciste donde la naranja estalla antes de ser oprimida. Naciste donde la blancura puesta a punto siega a su cosechador. Mas en tu desmedro ya puede el azar contar hasta tres; puede una joven de agua dormida izarse en el brocal del pozo para bautizar a diestra y siniestra a los siglos que van a celebrarla. Ni siquiera así despiertas, querido lector, lirón empedernido.

LAS CUENTAS CLARAS

Despedían claridad al tomar la taza, la espada o el consejo. Sus manos llegaban hasta donde un ciprés lleva el follaje. Conducíanse como quien es memoria viva de su estirpe, agua en movimiento que regresa para ser bebida dos veces. Huraños a más de gentiles, encanecían el cielo con banderas de bienvenida.

A los dioses no les gustó su costumbre de guardar fuego eterno en campanas neumáticas. En ello vieron competencia y reto, abrogación de su tutela caprichosa. Por eso inventaron no sé qué guerra de los pasteles aduciendo profanaciones baladíes, irreverencias, omisiones en la entrega de diezmos y primicias.

Nuestros amigos vieron amenazada la paz de sus montañas. Reunidos en Consejo sus ancianos de torsos juncales, duchos en la verba torrencial como en el silencio, decidieron dirimir tan nefanda querella. El más viejo entre ellos se adelantó sin preámbulos y habló de esta manera: "Oh dioses, venimos a pactar con ramas de olivo. Sedientos de claridad, traemos velos de mica para fijarlos fuera del lodo que vosotros agitáis con tanta saña. Ante todo, permitid una pregunta: ¿Cómo pretenden los dioses tener razón si ellos mismos no existen?" Al oír esto los dioses tomaron las de villadiego refugiándose en su nada originaria. El anciano montó su tapiz de centellas vertiginosas. Tenía prisa por decir a su pueblo que los hombres eran libres.

LA ZORRA Y SU VIGILIA

Coronadas por la pancarta de su precio, las pirámides de manzanas se dejan esculpir por el frutero y su trajín madrugador. Se inflama el viento. Habla a solas en la plaza y te mece, racimo que brillas para mí solamente. Vanos, difíciles de sobrellevar, los solsticios se acumulan al agitarse en esa alberca de sollozos en que tu lejanía me ahoga. Me pareciera necesario decir que soy la zorra más infeliz del mundo si antes no tuviera que gritar mi esperanza, mi deseo que te recorre a velocidades memorables. Alguien me dice: "hay que esperar sentado para no cansarse". ¿Y adónde —digo yo— adónde encontraré la encina rota que acceda a ser mi silla? Mira mi sangre que canta, oscuro champán encabritado. Oye la cascada de la noche fluir como una vena rota en la inmensidad. Toca la realidad y con ligeros masajes aparta la ceniza de mi corazón. Huele el perfume cifrado y persistente con que el pico del cisne participa en sacrificios humanos y bebe en tu zapato, negra copa llena de tu ser en actitud de abrazar al sol.

Tus ojos están verdes como las uvas y en general toda tú maduras con lentitud. Es cierto, hay un antes y un después, una edad que te corta parcialmente. Oh fruto unido por tu base, relicario que se abre y cierra exhalando presencias tan suaves como roscas de humo. Desnuda hasta la raíz pesas igual que cuando estabas vestida. Desnuda hasta la raíz, cuelgas en el rojizo delta matinal frente a esta ávida zorra que desde hace tanto espera tu hora de caer.

EL NOMBRE PROPIO

Si quieres saberlo, hay regiones donde los nombres se pierden como sortijas de plomo en arena movediza. Cada nombre —es bueno que lo adviertas— se inquieta muy poco si no tiene nada que nombrar. Prefiere ser etiqueta nebulosa, rótulo desprendido de la botella de veneno y, por qué no, marquesina apagada en el eje del tráfico populoso. Por eso tu razón avisada no debe estudiar a fondo las normas y usos de los nombres. Sería inútil además de ridículo. Ayer, sin ir tan lejos, mi nombre propio se salió del pasaporte y todavía no da la hora en que regrese a su casa de mica, a mi bolsillo desolado. No puedo salir de la ciudad. Tengo miedo de la policía y sus preguntas oficiosas. Es cierto, he buscado a mi nombre sin mucha elegancia, dando a entender que me hace demasiada falta. He preguntado por él en la cruz roja, en casa de mis amigos, en la cantina donde suele dilapidar mi sueldo íntegro. No aparece. No ha visitado siquiera esos agrupamientos en que el oro gorjea tras un charco de lluvia y donde se pasa las tardes muertas, intocado por el tiempo, tal un idiota o una bestia hipnotizada.

Por eso te prevengo. Abandona tu dedo anular, a tu esposa embarazada, a tus padres. Deja el empleo, pero no abras la puerta de la calle cuando tu nombre esté de vena para correr su próxima juerga. No lo pronuncies en voz alta: bastaría con que un ciego pase la mano sobre la tabla de preceptos para saber con cuánta facilidad un nombre se pudre o se marchita. Además los nombres se gastan como arcos erguidos en mitad de la carretera. Otros han perdido el color tras leve inmersión en los aceites de la brisa o cuando mi voz los enarbola en un tono demasiado alto. Nunca pronuncies sus vocales, silba su nombre como silba el látigo en la piedra carcomida. La duración del crepúsculo, el tamaño elástico de sus pausas, también suelen ser venenos vertiginosos.

Inteligente como es, entrañablemente natal y no inventado, mi nombre se ha escurrido por alguna atarjea imprevista. No lloro pero aúllo. ¿Qué hacer en esta maldita vida sin el hermoso nombre que a uno le pusieron, bien clavado entre hombro y hombro? Y tú, mi odiado vecino, cuídate de los días tormentosos. No vaya a ser que se vuele tu amor supremo. Si alguien te explora la garganta buscando algún tesoro de catorce sílabas, aniquílalo de inmediato con un tajo de tu estilete envenenado. En este país va uno a la cárcel cuando mata en defensa propia, no así cuando se lucha por salvar el propio nombre. Todavía, debo confesarlo, existen garantías valiosas. Por lo tanto ama a tu nombre, frótalo con la manga de armiño de tu rey, constrúyele una casita de campo. Sé cuidadoso y cómprale mañana mismo una institutriz inglesa.

¿TE HAS FIJADO?

¿Te has fijado cómo la maceta, puño de barro, oprime al geranio hasta hacerle subir los colores a la cara? Pero no hay mal que por bien no venga: la maceta brinda a su prisionero levitación constante, oficio de bandera a la hora en que el mirlo entra por un bolsillo del espantapájaros acaso para urdir un nido en su amenazante corazón de paja.

¿Te has fijado en ciertos enamorados que inflaman su alma en otro cuerpo y regresan a su punto de partida, tonsurados por la temperatura de su halo, como santos que ejercen su religión privada y vuelven con un sabor en la boca a fruta imprecisa, si bien no ignoran de qué árbol ha caído su redondez milagrosa? ¿Te has fijado en los enamorados? Pues bien: después de tanto hacer el amor y de inventarlo, acatan hoy nimias convenciones y retroceden con saltos mortales más difíciles que su primera parábola suntuosa.

Contra ellos arrojo mi pródiga canícula verbal y a borbotones maldigo su cobardía, la fatiga de sus manos ya por completo desasidas de la vía láctea. Quienes ayer pasearon con torso erguido su ofrenda de acanto y mirra, fastidian hoy a los feligreses con la sucia escudilla de la colecta dominical.

FUEGO Y DANZA

Te despetalo y gritas, hoguera multifolia, juez parcial que vas a decidir si el fuego apaga a la danza o viceversa. Primero exaltas el ceño pungente del fuego, en seguida, el torso enmetalado de la danza. Haces cálculos; parpadeas, puta joven, margarita indecisa. Mas antes de elegir a tu preferido nutres al evento con brazadas de azufre clamoroso. En realidad te da lo mismo el pinto que el colorado. Lo importante para ti es correr entre escombros ardientes, destapar botellas de sangre fresca cuando tus pechos se bañan en olas de ecos negros y un dejo de romero pisoteado fluye a través del viento. La pugna te ha encendido de entusiasmo. Vas y te vuelves azuzando a los contrarios que respiran por sus heridas acezantes. El fuego escupe ráfagas encarnadas, mas su enemiga le asesta un puntapié en la rota mandíbula de oro. ¿A quién preferir, si el fuego danza y la danza quema? ¿Los polos opuestos no están hechos de nieve? Así lo entiendes y por eso arbitras con la razón el duelo que tus instintos concertaron. Al movimiento sucede el reposo. La figura de tensión se esfuma en su consecuencia dialéctica y tú, provocadora, declaras un empate, tornas a ser gracia indiferente que no piensa, haz de trigo atado con el lazo de tu propia cintura. Por lo demás, nunca ha de saberse quién camina a mi lado: ¿Es una danzarina con mallas color naranja o la llama que se desprende del leño con un perfecto *pas de deux*?

ASISTENTE DEL DIABLO

Demonio eres, demonio morirás, pese a las manos de pintura que la civilización te impone. Inútil bautizarte en pebeteros de luces atigradas. Tu condición en apariencia abolida, renace con brío a los pocos instantes. Ayer nada menos, al llegar tan cansado de tus visitas piadosas, advertí por una cuarteadura en tu frente los pensamientos que te avivan el ánimo salvaje. No hay lavanda que apague el hedor del azufre. Transpirabas a mares y fuiste al baño con el aire festivo de quien cumple un rito inocente. Más tarde, con pretexto de preparar tus clases obtuviste permiso para entrar a un cuarto contiguo. ¡Qué indecibles flamazos cruzaban el ojo de la cerradura! Intrigado, me asomé por el tragaluz. Ahí estabas repasando sin tregua tu ábaco de focos delirantes. No esperé más. A puntapiés abrí la puerta. En mi mano había un crucifijo. Con indiferencia dijiste que no me anduviera con tonterías. Intenté un postrer exorcismo al sacar mi pistola de agua bendita pero me intimidé cuando vi la tuya con balas de verdad. Sin darte la espalda caminé hacia afuera murmurando incoherencias. No había orgullo en mí —ni siquiera ínfima prestancia— cuando corrí a la tienda como un diligente monosabio a buscar los cigarros que en ese momento precisabas.

LAPSUS MEMORIAE

Los recuerdos regresan como bumerangs incendiados. Hace ocho años una concha rota me produjo heridas en el talón izquierdo. Hace nueve, con estos ojos que no se ha de comer la tierra, vi, entre impares rarezas de un museo, la mejilla de una momia. Parecía lodo seco, quizá un pardo esparadrapo en la osamenta rojo indio. Hace quince años, tendido de bruces frente a una espita entreabierta, contemplaba cómo alternaban su caída gotas negras y azules, siempre en ordenada sucesión, pues no ocurrió nunca en aquella mañana que dos gotas seguidas fueran del mismo color. Hace veinte años —lo rememoro con impecable certidumbre— un puño de resplandores translúcidos fue limado a nivel del dedo cordial por el ala de una mariposa que no dejó de moverse hasta conseguir su libertad. Hace veinticinco años, debéis perdonarme por ello, no recuerdo en absoluto qué sucedía. Algún borroso conjuro, cierta fatalidad no prevista me impiden ver en ese recodo temporal. Casi a punto de mostrar su encadenamiento armonioso, el collar de los recuerdos se interrumpe cuando faltaban dos o tres cuentas para cumplir el engarce final. Aún así me gusta el resultado. Me placen los acontecimientos capaces de quebrantar un orgullo, un monumento con demasiada apariencia de solidez.

ULTIMÁTUM

Alba mía que enviudas sin estar yo muerto: la ira torna mis ruegos en exigencias. Quien ve más acrecerá la virginidad de su mirada. Serás fiel a la tierra y a los molinos de viento. Nada te será ahorrado y menos que nada el dispendio amargo de la belleza. A hora fija, según está prescrito, me darás mi cucharada de éxtasis, mi ración invariable de adormidera lunar.

Nadie ha visto, nadie conoce; sin embargo, hilillos del manto inalcanzado ondearán en la mano herméticamente abierta, en la mano que no deja hueco entre dedo y dedo. La pólvora dulce del recuerdo conmoverá la mente. La desnudez harto contemplada será vista como algo demasiado ajeno a las esencias buscadas.

A rastras, a cabeza de silla o como sea el genio displicente será traído al jardín donde tanto se le convoca sin resultado alguno. Y porque he venido para sobrellevar las heridas de la luz, te conmino, alba mía, a que nos ofrezcas un signo cualquiera de tu anunciación. ¡Ay de ti si mezquinas los caudales que demando! ¡Ay de ti si postergas otro instante el comercio entre un hombre y sus ígneos avatares!

NO ES MIEDO ES PRECAUCION

Lleno de rostros, lunares y cabezas que sólo piensan en ahorrar perfume, el ramo se inclina hacia la tumba abierta con un murmullo de aquiescencia resignada. Sus flores ignoran faustos rituales en que al otro lado del viejo portón astillado, el porvenir se cuece. No saben que mis dedos, flechas de abanico, atizan explosiones de moscas iluminadas en el umbral del brasero. No para ahí su ignorancia, pues nunca han visto candelabros de hielo que crecen sobre colinas de brillo mate y cráteres apasionadamente unidos por sus bocas sangrientas. Sería inútil suponer que parásitas semejantes, equilibradas de por vida en un solo pie, imaginaran espadas que nadie ha desenvainado desde la invención del hierro.

Mas no seré el verdugo de tales flores sucias pero incontaminadas. Yo mismo ignoro advenimientos capitales. Soy el cucú ensordecido y ciego que avanza hacia la plenitud y en ella vive un momento para después recluirse en el claroscuro de su forzado sueño. En verdad, ¿hay algo atrás de la infancia y sus manzanas como rescoldos que no queman? ¿Habrá algo más allá del resorte mecánico, el limbo ya previsto, la selva que se ilumina para mejor ahogarnos? Hasta ahora he preferido no indagar. Créanme, no es miedo, es precaución.

NÓMINA OBSCURA

No me gustan las flores de raíces aéreas y corola enterrada. Delicadas mujeres cuyas pestañas se enredan en los hilos del arpa sin que puedan desuncir la brillante cabeza, tampoco son de mi preferencia. También execro a los reptantes engendros que la oscuridad abandona y la esperanza olvida. Nada colma el cenit de la abyección, pero si algo rebasara tal medida, sería ese perro de Tabasco llamado *escuintle*. Cuando en algún museo encuentro piezas de arcilla roja que representan a esta especie, el temblor, la ira, me abruman con puntuales solicitaciones. En fin. . . conocéis ya la nómina de mis repugnacias. . . el ramillete de ortigas invisibles que me inflama la sangre. Otro día enlistaré lo que atisbo en el tablero de orientaciones. Traeré a colación lágrimas directamente lloradas por las manos. Transcribiré el recorrido cielo imposible, las estepas de armiño y la descripción de esos zapatos de fuego que se arrastran por el polvo como sabias salamandras silenciosas. Algo diré sobre mundos inéditos meciéndose en leves cuerdas flojas, en aéreas urdimbres de amapolas que se tercian sobre la noche hasta dejarla inmóvil, embotada, sin apenas entender lo que se prepara tras los muros de máscaras ígneas que componen el amanecer.

PROFESIÓN DE FE

Contra las puertas del día, espejeante en luz de jade, turbada por águilas que desfallecen con el pecho ensangrentado de luciérnagas, la blancura, mi dueña y señora, dispara redivivos enjambres, contempla el tornadizo instante que muere de no querer morir y cambia su jabonadura bulliciosa por una telaraña tan pesada como drapeado medieval.

En esa blancura me pierdo y me rescato. En ella navega mi pobre ser que gime cuando se le fractura una pestaña. En ella riño contra los fetiches del momento mientras la madrugada se detiene el tiempo necesario para cantar victoria. Por sus calles se pasea nuestra inocente ignorancia delictuosa: ahí nace la otra edad, otra dorada edad para la cual, ciertamente, conviene preservar la prudencia y la bravura verdaderas.

ANTELACIONES FUNÉREAS

Entonces era fácil enfrentar nubes de escualos con un rayo que lanzaba cuchillos misteriosos. El corazón aspiraba patrullas de gusanos luminosos. Eso era entonces. Ahora su diástole derrama olas de murciélagos. Ahora vuelan fachadas, los rostros huyen de su calavera como hojas de calendario, caen paredes dejando al descubierto racimos de familias perplejas que buscan la protección irrisoria de los sótanos.

Se trata, según creo, de alguna sublevación encabezada por ciertos reinos inánimes que siempre han alentado exacerbados sentimientos de venganza. En todo caso, triturado el mecanismo salvador, hecho añicos Rolando junto a su espada Durandal, disuelto San Miguel con lanza y todo, se torna tabú cualquier territorio que no sea el propio cuerpo.

¡Ah, Israel de mis perjurios, escasean ya tus latidos! ¡La muerte cava galerías en el irrestricto migajón de la existencia! Y el amante, Sansón enceguecido, se apoya en las piernas de su amada y al estremecerlas, derrumba el templo.

AUGE Y DESTRUCCIÓN DE UN HECHIZO

Por un momento el tiempo suspende su peregrinaje, se libera, abre una tregua, funda cabezas de playa en el silencio y ya no lo fustigan más las ruinas enamoradas del presente.

Es tan unitaria la visión, de tal modo se ha trabado lo que existe con sus picos, ruedas, garfios; de tal modo la centelleante esfera subsume en su seno la variedad de los seres que, si en este momento el quetzal se desprendiera de esa rama desde la cual su esplendor pontifica, se llevaría tras de sí, atado a su más larga y recia pluma, el aire entero.

Inmóvil como un huevo en su ceñida copa, la realidad encalla en los párpados de una adolescente. Entre el marco de su caperuza de lino, el rostro se le vuelve pantalla donde un joven dios narra sus desvelos mientras escancia luz en los vasos que el cemento ha dejado libres.

Mas de pronto se rompe la tregua. Se inicia el deshielo de toda esta inmovilidad magnífica. La historia, adormilada aún, entra en escena, pregunta por su papel, azota con cables de alta tensión a los personajes que no se mueven con la requerida viveza. El hada y su séquito de campánulas, a querer o no sufren exilios parecidos al definitivo de la muerte.

Y en este éxodo de las sustancias milagrosas yo quisiera ser un factor recuperativo, un dique eventual; mas la marea sacude el frágil promontorio y se levanta y me sobrepasa y rompe el espejismo en miles de cristales sangrientos. Con imponente paso la realidad entra en acción.

RECURSOS PARA MAÑANA

Afilo manecillas para asesinar al tiempo. Sólo así, liquidando lo hostil que me envuelve, el cráter cansado de mi boca vomitará su ristra de turquesas, sus pájaros empenachados de joyas sangrientas. Un día seré la garganta del roble en el que estoy trepado. Habrá equilibrio entre lo que el niño pide y la tristeza otorga. Tomaré medidas. La auróra excederá el tamaño de mi corazón.

Hay calma en las extensiones insoladas. Crisantemos guillotinados lucen en la solapa de los duendes con un brillo nacido en jardines de ultratumba. Jamás despuntaron bajo el cielo augurios tan sumisos a nuestra esperanza.

¡Con qué esfuerzo ilustre las marcas de lirios imborrables cambian de piel! Nadando ágilmente en nuestro llanto, nacidos para vivir, apenas soportamos que la vida nos sea tan extraña. Mas no incurrimos en desánimo si al consultar la brújula epiléptica, nuestra exaltación no halla el cementerio en que regios cadáveres manan por la boca hilos azules de mariposas.

Echamos mano de explicaciones muy sencillas: la falena afacetada con toda clase de pigmentos atraviesa el edificio porque sus muros están hechos de aromas persistentes. Echamos mano del amor, nuestra carta suprema bien oculta en la manga, lista para emplearse cuando la corona de hierro del canto sea engullida por arenas sumamente movedizas.

HOY TE VEO MAÑANA NO

Pretendo a menudo que la máscara perfecta sería una media de mujer sobrepuesta al rostro. Para no caer en la policromía detonante, los robabancos guardan su oscuridad tras esta malla efímera y nubosa. La máscara ideal es aquella que anula nuestras facciones.

La falsa máscara, la inauténtica si así se puede decir, abusa de la ferocidad sobreentendida y le sigue dando al rostro apariencia de rostro. Respondamos a todo esto con pétrea convicción medieval: Nada hay más bello que disfrazarse de huevo de zurcir. Así somos ya el eco del eco, lo irreconocible mismo capturado entre orillas meridianas. Una ráfaga especial adelgaza ondas violáceas y por fin accedemos a ser misterio alzado por sobre toda inquietud o si se quiere, un acercamiento plausible a lo que subyace bajo las apariencias de nuestra inexistente identidad.

FIN DE FIESTA

El espejo de mágicas dinastías ennegrecerá por ambos lados y el desastre prodigará sonrientes cabecitas de ratón que, al asomarse entre las espirales rojas y azules de las peluquerías, darán lugar —sólo al principio— a escenas de suma placidez.

Y los plantíos de columnas, hartos de cormoranes que los ensucian, hartos de cadáveres persas expuestos en sus cornisas, hartos de que las grandes flores del verano jamás se entrelacen con las grandes flores rojas de la nochebuena, hartos de tanta calamidad acumulada, en un arranque de ira chocarán entre si como sables suicidas hasta desmoronarse por completo.

Y los torbellinos anegarán nidales de bestias nunca profanadas y los relojes serán embalsamados a una misma hora irremediable y los átomos, en sus pajareras repletas de hierro, sentirán la fatiga que implican los vuelos del orden superior a un millón de años.

Y el leñoso despertar en cabañas rupestres izará entre sus signos una misma consigna unánime. Y la mañana, pintarrajeada en sus ventanales con un rocío insólito será leída con horror por sagaces aerom800ánticos. Y los desertores guardarán sus rostros en portafolios de ceniza. Y hasta un niño sabrá que el último de nuestros días contados estará siendo contado.

GASTAR LA PÓLVORA EN INFIERNITOS

No sentí la dentellada pero comencé a inquietarme al percibir la cálida tibieza que envolvía mi hombro mutilado. Me espantaba sobre todo el complejo de circunstancias generado en mi derredor. La camisa me cegaba con aleteos ciertamente inverosímiles, si se piensa

79

que el viento no soplaba cuando muros de azogue vinieron a tierra abatidos por olas de cascabeles sordos. Entonces pude ver cómo algunos penachos, entretejiéndose, completaban un cojín de color morado en cuyo centro, oscura ofrenda, reposaba mi brazo amputado. Ya para entonces mi sangre brillaba a más no poder, el horizonte partía la distancia con espadas de pelusa dorada y mi vista se hundía en un evento de lágrimas latientes, polvo conjurado y ruiseñores en ruinas. Algo se manifestó evidente: los brazos como las mujeres, duelen más desde la ausencia. El mío desapareció casi por ensalmo. Me fue difícil comenzar a buscarlo pues ni yo mismo sabía en qué distrito del infierno me encontraba y súbitas onomatopeyas alteraban desde el subsuelo el pulso de las brújulas. Me fue preciso embestir los bultos de mi delirio con fuetes de espinas y encontrar con más dificultad que fortuna un lenguaje recién articulado bajo mi secreto sistema antenal. Yo sé que a ciegas es como mejor se busca. Con puntería similar a aquella otra en que la conciencia atisba o caza sus vívidos engendros, una fuerza de totalidad me revelaba con sus precisiones el meollo de una verdad en cuyo umbral la razón fracasaba con poca o ninguna elegancia. Esa totalidad de conocimiento, camino trillado por la primera paramecia y el último homínido no encontraba el túnel de salida con que el deseo neutraliza a la pesadilla y accede a ese ojo en espiral por donde el agua, en parte remansada, a sí misma se mira correr. Y cuando di marcha atrás, cuando recobré la pista de mi propio cuerpo, cuando mis métodos funámbulos destejieron laberintos al inventar sendas que me llevaron desde la conjetura trivial hasta la pesquisa eficiente, pude por fin gritar: "¡tierra a la vista!" Y en efecto, ahí estaba mi amada carne, el aspa con que escribo y arruino prefiguraciones de la eterna quietud. Quise asir con mi brazo caliente al otro brazo helado, amarillo por la acción de la cadaverina y, sin embargo, insinuando con ágiles señas que yo debía tomarlo cuanto antes. Avancé enloquecido pero el cojín aéreo en que se hallaba retrocedió, cuantas veces intenté asirlo, con isócrona vivacidad. No sé cuánto duró el infame regateo. Al fin, persiguiéndome a mí mismo, subí a la boca de un volcán y en su roja marea me precipité hasta recobrar mi brazo sólo para caer en la cuenta de que era otra la búsqueda en que debí extraviarme. Otra mutilación más esencial debió enardecer mi sentido exploratorio. Mejor hubiera buscado —lo confieso con tardía tristeza— el tránsito divino en que toda pregunta se abisma en un hambre que calma, en un fuego pocas veces robado y que nos apacienta mientras nos devora.

EL MUERTO Y SU PECERA

El escualo atípico desova luciérnagas de cristal, fuegos que se dispersan en un jardín difícil de explicar. Aquí o allá transparencias·pestañean oprimidas entre vagos celajes carnívoros. A oscuras danza mi reflejo haciéndose lenguas para que la estrella ciega se detenga a tiempo en el borde movedizo. Mas nada importan aquí señales admonitorias. Pasa de largo el lenguaje. No dice nada el hocico incansable de la trucha. Sólo sucede mi cadáver y a solas hablo con el tiempo que de fijo me hastía en su latitud hipnotizada.

El pez linterna gasta sus baterías en fulgores de intención ambigua y el pez martillo ha golpeado sobre una estalagmita haciéndola desaparecer como a un lívido clavo arenoso. Barcos de caramelo, cebreados de azul y rojo, llegan al puerto ya disueltos. Ay, el acto de morir es para mí un presente renovado en la atracción que mis huesos sienten por el pleistoceno. Sin necesidad engullo plancton, refiero en crónicas baladíes los hábitos absurdos de la mantarraya, ese obeso mantel que devora en el desayuno calamares que ahúman claraboyas y botellones lanzados al mar por amanuenses de una civilización ya recluida en el olvido.

Poco sé de cuanto queda por venir. Sólo manifiesto, en mi cisma, hambre de huelga eterna frente a los jueces que ignoran el código que rige la vida íntima del purgatorio. Pero es preciso ser humilde ante la justicia traspapelada, suplicar si no la abolición del estatuto, al menos una vacación más o menos larga en otro infierno.

Voy y vengo en esta miseria. En este cuarto redondo que es mi pecera, voy y vengo. Cumplo mis horas de guardia bajo el agua y sé que sólo defiendo el afanoso castillo de mi desesperación.

EL PERDÓN NO EXISTE

El escozor en la espalda causado por un excesivo tránsito de escarabajos, el pinchazo del rosedal salvaje y asimismo, ciertas costumbres de la blancura abrogadas por edictos demasiado súbitos han roto mi negativa —terminante desde un principio— con halagos y mañas de ofidio clarividente. Después haré nuevas concesiones. Alimañas montesas me pondrán de su lado al esgrimir recursos ya gastados por la gleba mendicante. Jamás debí ceder la llave del pueblo en que cada habitante es una ciudad.

La gema incandescente pestañea y ya viene mi señor a pedirme cuentas. Ah suerte maldita. Desde mañana fingiré morir hasta que mi cuerpo hieda. Pero haga lo que haga, truene o diluvie, el amo pisará la hojarasca de mis antifaces y azotará mi esqueleto sin palo ni cuarta, infamándome con agrios interrogatorios, escudriñando sombras, motivos, fechas cuidadosamente encajonados en el olvido. Nada diré aunque sólo mi inocencia haya tomado parte en el saqueo. Mi muerte no lavará la culpa y será señal de que en la mente de mi amo el perdón no existe.

Afuera estalla la geografía de lo propicio. Con la punta del pie la madrugada apaga mis ensueños.

VALLE DE JOSAFAT

Bajo la comba de mi lágrima, nadie calza botas de suela demasiado gruesa por cuanto existe el fundado presentimiento de que no hay mucho camino por delante.

Bajo la comba de mi lágrima nacen instantes grises que sacralizan el tedio, espectros capaces de hacerme gemir con su apretón de manos, ángeles de alas rayadas o marinos que cumplen expertas navegaciones aéreas.

Bajo la comba de mi lágrima, escasamente redonda, admito que nada se pudriría en Dinamarca si no hubiera seres vivos o si ya no existieran años jóvenes que derriban puertas de sol a golpes de hombro, escuadrillas copiosas imantando el brillante grano y aterrizando en el centro de ningún punto cardinal.

ALTA FIDELIDAD

Al otro lado del aire y aquí mismo opera la dualidad de mis niveles de flotación, mi crescendo de abeja que se olvida de cómo zumbar. Oigo nacer el agua y su eco es el motor mismo de mi divagación. Al percibir su clamoreo soterrado, paro la oreja igual que un perro a quien le resucita el amo. Después sigo su pista desde la atalaya de sangre seca hasta el pozo cavado por mi despeñamiento, para luego internarme, con mapas de araños en la espalda, entre alambradas que aran la piel con su caligrafía entusiasta.

Ciertos murmullos persisten bajo el claroscuro de las devastaciones. Y a quien quiera ponerme a prueba le digo que mi fe se consolida cuando la sacra vislumbre, el eco original, se esconde bajo el espesor de sus más claros habitantes. Hay que seguir tamaño rastro por arroyos de vidrio cortado. Seguirlo mientras haya fuerzas y modo y entusiasmo. Seguirlo hasta que la noche final se muerda la cola en nuestros labios.

EL NOMBRE DE LA ESPERANZA

Entre gramíneas de escaso cultivo, entre valladares sin fecundación posible, sólo a ti se te ocurre, alta marea, nacer a deshoras de la eternidad, nimbada por un estro potente y con un impulso inicial capaz de contradecir pronósticos adversos. De todas maneras te doy la bienvenida con guirnaldas de papel llovido, con racimos de ojeras cosechadas en ese límite en que tu aparición ya no se posterga un segundo más.

Ahora bien —si recuerdas que acabas de nacer— caminarás con extrema cautela para prevenir cuanto pudiera suceder. Reforzarás el tejido de tu bolsa si esperas que la luna pernocte en ella. Mirarás en ambos sentidos al cruzar la calle. Antes de abrir los labios probarás hasta en dos ocasiones el alimento ofrecido.

Porque sólo así, siendo una reina prudente, conquistarás lo que ya te pertenece. Claro está, hay otros detalles, más consejos; peligros como zarzas de piedra que debes eludir en tu ansioso patinaje. Mas tú no vienes a vivir sino a inspirar la vida. No vienes a quedarte sino a enseñarnos a partir. Como ves, sobran los consejos. Las dulces premoniciones no deben fatigarte. Tú aterriza y nada más. No escuches las especificaciones del cariño. No consultes ninguna brújula. No pidas informe alguno acerca de las condiciones climáticas. No inquieras sobre el problema de qué le pasa al tren cuando le falta vía. Tú sigue adelante aun cuando sientas que el nombre de la esperanza se te desmorona un poco o un poco te viene grande.

LA CASA POR LA VENTANA

1968

PROPAGACIÓN DE LA LUZ

En sí misma la luz es casi nada;
Apenas un poco de fiebre con la médula amarilla,
Un delgado espíritu a quien se vence corriendo una persiana:
Míralo huir entre torres que no tienen pies ni cabeza
Y en cuya base, transparentes perros de otro mundo
Ladran a la salida del sol, a los amuletos incomprensibles,
Al ojo de venado que se curva como una opaca moneda
    embarazada
Y al perfume embanderado entre plantíos de catedrales góticas.
Y nada más porque en sí misma es casi nada,
La luz, fragilidad que no se adensa, es ya nuestra primer mortaja
Y es vino alado que las manos embotellan como un vapor de
    madreselvas,
Donde el pensamiento, con sobrentendido terror, aún nutre su
    lámpara desplegada
Y el as de corazones late cual si fuera verdadero
Entre campanas que toman la tranquila posición de un seno
Cuando las huestes del ángelus mansamente se despeñan,
    corriente arriba,
Hacia el desnudo lugar en que la luz procrea más luz,
Mas nada con oro, árboles de varas mágicas, guitarras
Desangrándose por entre sus grandes ombligos de sombra. . .
Y no diré demasiado que la luz en sí misma es casi nada
Pues una extraña saeta ha trabado mis mandíbulas
Y pasan por mi garganta helada las aguas de la muerte
Sin que la manzana de Adán se mueva apenas:
Quietas están las verdes paredes del Mar Rojo,
Crucificada la mano sobre su lira,
Paralizada mi aureola como abeja funeral,
Estancado el fuego de mis radiantes duermevelas,
Detenido el péndulo que parte castillos de nieve,
Detenida la enredadera del llanto, la caravana de cánticos,
El esponjado pan inmemorial que nunca se endurece;
Detenido yo, crucificado yo, desmayado para siempre
Porque la luz me abandona como a una hembra ya cabalgada,
Para seguir a los hijos del mito, siempre marciales y benignos,
Siempre enraizados en cuerpos tremendos que van de llama en
    llama
Acantonando sus voces en leyendas, profiriendo rugidos

Entre glaciales túneles de trompetas
Y defendiendo a esa luz que en sí misma es casi nada.

A NIVEL DEL MAR

Claridades, milagros,
Animaciones súbitas en las oficinas del aire,
Campanas que se ablandan hasta mudarse en cabezas de pulpo
En este universo donde nada cambia
Y al que le da lo mismo si tú lloras o yo canto,
Le da lo mismo romper o no romper manteles de hojas que el acebo
    ha llorado
Y que la calma extiende sobre arrugas de la frente
Ocultando el nadir de la fábula plena,
El nadir de la aurora que hace guiños
Entre rocas negras que se desprenden
Dispersando legiones de oráculos, álbumes de niebla donde vagan
Recuerdos que nunca debieron perderse.
¡Perdámonos ahora con ellos! Perdámonos a semejanza del que
    busca órbita propia
En la torrencial basura de los astros
Y sólo encuentra ventrículos llenos de alas
Y aurículas que alojan otras alas de mayor poder.
El himno ya vacío requiere nuevas transfusiones,
Más clorofila sagrada, esperma incandescente
Para que vuelva a ser el hombre un planeta inmóvil,
Gusano con luz propia, instante con los días contados,
Arma insultada por la quietud de las panoplias
Y cuya descendencia no doble sus hombros bajo el Niágara.
¡Oh espíritus que no aceptan vivir a nivel del mar!
Tenemos el gozo y la erupción y la nostalgia.
Tenemos, sólo tenemos.
Tenemos la rueda que captura su propio movimiento
Y un cóndor bajo cada brazo,
Horrorizados ambos porque nada satisface nuestro deseo de altura.
Perdámonos entonces como un amuleto de ozono
Entre profundas bolsas nocturnas,
Entre respiraderos por donde una gota de agua
Asoma la irisada testa.
Perdámonos para acaso resurgir

Cuando el verde fruto joven y virgen se nos suba a la cabeza,
Cuando el rostro feroz de la hermosura
Al fin nos dé la cara
Y los remados años, las vigilias ejemplares,
Apacienten visiones azotadas por flores de cuero
Y manos sucias de tanto acariciar estatuas.

NUEVA GUERRA FLORIDA

Es bueno que el mundo asuma nombres cambiantes
Y que de pronto se llame nido, saúz, pino danzando a mediodía,
Argentada piedra con que el sol pule brillos de su frente,
Piedra partida por un sollozo, loca piedra sin memoria
Que ya no recuerda desde cuándo no aterriza,
Ni el nombre de la honda que la enseñó a volar
Leguas arriba de donde fornican águilas ladronas de zafiros,
Águilas que se dejan imantar por el sangriento color de casi toda
    aventura
Y en cuyo espíritu de recintos y cámaras boreales
La orden de que cese el íntimo fuego nunca es acatada.
Por otra parte, lo impredecible ha mellado norias y veletas
Como antes había destruido lunares de identidad,
Marcas secretas donde un rayo de luz
Sepulta memorias de viaje y talla epitafios
Bajo una gota que abolla su comba
Y se arrepiente de llover en patria ajena,
Cuando el lecho en que la pasión combate zozobra en el reposo
Y dejan de existir mantos de libélulas que cubren tu sexo flamígero,
Tu sexo encendido desde siempre, desde aquella tarde
En que tú y yo maduramos para el vuelo,
Para el polvo que gira adentro del silencio,
Adentro de toda el agua que se puede atar bajo la curva de una ola;
Ola donde yaces tú, intocada bajo tu camisa de caricias,
Bajo la niebla y su diadema de lobos,
Bajo esa atmósfera de magia y de capricho
En que es posible inventar
Todo el amor que hace falta.

CLIMAS Y DESEOS

Es cruel nuestra guerra y pronto se habrá combatido
En ambas márgenes del espumante labio.
Mientras tanto, oh Dios, impídeme hablar,
Impide que yo enloquezca entre collares de brújulas
Y no permitas otra cuarteadura en la muralla donde viejos
    faisanes sobrevuelan
Rozando cresteríos en que la roca, viuda ya de todo perfume,
Abandona fieles emparrados y rosas de cal marchita
Y recuerdos en que el hueso golpea cámaras secretas,
Espesuras donde me ciñen
Inmensas raíces navegantes.
Y bien: lo que desea el deseo, el sueño no lo sueña,
Ni lo cubre la expansión del pájaro lira,
Ni lo esconde mi capa desplegada, ni desaparece en esa jungla
    del gozo
Que nos prepara deslumbrantes emboscadas
Cuando la marcha se hace lenta
Y las cabezadas del búho espantan al estío
O derriban escuadrillas de crucifijos
Ante las cuales enuncio mi deseo:
"Que la ira del mar no haga trizas mi escafandra,
Ni el estremecido gong redoble su estruendo
Si no cuenta con la sincronía que poseen los nervios maravillosos
    de la rata.
Y también deseo que se conceda vía libre a las mujeres con
    joyas escondidas en el sexo
Y que San Dionisio, ya decapitado,
Cubra la olla sangrienta de su cuello
Con el bien esculpido tapón de su cabeza."
¡Cuán largo es mi deseo!
Miradlo bailar entre llamas que la sal inventa:
Sólo pretende un puerto al que llegar y desde el cual partir,
Una fundación que reduzca la eternidad a sus dimensiones
    verdaderas
E incendie la historia y escriba otra distinta con un cuerno de
    unicornio,
Con la punta de un buscapiés que cambie nuestro rumbo
Y estalle contra el cráneo vacío de una campana

Mientras que, cantando, enlatados en la cota de mallas, inmóviles
     tras un biombo de música y lumbre,
Vislumbramos ángeles mercenarios auxiliándonos por primera vez
Y dragones dirigiendo su fuego contra el talón más débil,
Aunque vanamente, pues aún lucen indemnes las moradas
En que toda ave es sacrílega
Y pesa en el espíritu como otra tumba más.

ODA POR LA MUERTE DEL CHE GUEVARA

El temporal termina cuando por cada gota de lluvia brota
     un pájaro sediento,
Un navío de velas negras en que ventrudos fantasmas andan
     de puntillas
Para no despertarte demasiado pronto, querido comandante
     Guevara.
Tu muerte, distante y compartida, pasa por la garganta de los
     niños de Vietnam y de Harlem
Como un gran trago de viento blanco.
Hijo verdadero del fuego, te convertiste en llama:
Tu muerte le quita importancia a la nuestra, más presente que
     futura,
Y pesa en las balanzas como una pestaña decisiva,
Pesa en la conciencia de quienes no te asesinamos
Y pesa en la cara oculta de la sangre como una gran hélice de oro
Que un día no remoto levantará en vilo al mundo.

Y en medio de la pena, cómo da envidia
Tu manera de partir:
Igual a un pensamiento que hace añicos a la estatua que lo piensa,
Oh pura explosión de la verdad
En ese pecho tuyo donde tantas estrellas retumban
Como cráteres de plata, como abismos de cristal de roca
Donde el eco pule estalactitas góticas
Y blancos encajes de llorada sal.

Querido comandante Guevara:
Por primera vez me siento escaso de palabras.
Por primera vez me abstengo de elogiar la vida
Y me vuelvo ronco de tanto no abrir los labios.

Dios te cuide, comandante.
Que te cuide ahora que no necesitas cuidado alguno,
De modo tal que tu leyenda viva
Cabalgue a grupa de huracán
Y que otra vez sea posible verte
A la hora de la justicia en la tierra.

ARENA Y VIENTO

1968-1976

SABER UNA COSA

Para Antonio y Margarita González de León

Entre catacumbas tanteo
Si soy o me parezco
O si planto unidades milenarias
Lejanamente durmiéndome
Con la cara hacia los huesos.

Tanteo este Globo
Cada vez más redondo
No por decantada pureza
Sino por simple erosión.

Entre tanto
El futuro va pasando
Fruto irascible
Madrugada amarilla
Que inmóviles pero a la deriva
Nos lleva del deleite al embeleso.

Al tanteo sé una cosa:
Amar es el colmo de estar vivo.

EL AIRE Y LA MONEDA

1
Disponibilidad

Ya no tengo raíces:
Si me necesitas oh viento
Sílbame nada más.

2
Flash

En tu mirada de acuario
Capturado pero libre
Habito el instante.

95

3
Taller

El espacio me da forma
El espacio te moldea
Pero aquella gaviota
Le ha salido mejor.

4
Mi deseo

Que me condene la vida
A cadena perpetua
De sólo tres eslabones:
Tú, el fuego y yo.

5
Sin sentido

Muerte:
Su única presencia
Es su inminencia
Y aún así la esquivo
Como si fuera real.

VUELTAS DE TUERCA

1
Diálogo

—¿Cómo estás?
—Aquí, pasándola. Tostándome
  Bajo un sol de sombra.

2
Crítica

El río se ríe de mí.
También yo
Soy otro río,
Otro río y otra sonrisa.

3
Bostezo

El tiempo abre la boca:
Nacemos.
El tiempo cierra la boca:
Morimos.

4
Enigma

Si el corazón se rompe a cada verso,
¿Por la mediación de quién
He concluido estas líneas?

5
Sigilo

Con plumas de cisne
Cortadas al alba
Remo en la transparencia.

6
La estatua increpa al rostro

Es cierto:
Cambias de expresión
Como el río cambia de camino.
En cambio ignoras
La coronación del cambio:
La belleza es un incendio reconocible y quieto.

7
Arqueo de mediodía

La muñeca sentada en el ramaje
Los picos de sierra en las manchas de sangre
Los ojos secos en la fuente de arena.

8
Precaución

Me aprendo de memoria el mundo
—Esta habitación desordenada—
Para que no sea una tragedia
Quedarme ciego.

9
Felicidad

Instante perdido
En el laberinto
De una rosa.

10
Pesadilla

Gota asfixiada
En el laberinto que junta sus paredes
Y se convierte en una rosa.

11
Atisbo

Antes que el instante
Abra el abra del silencio,
Dando a luz
A la luz,
Cierro los ojos
Y leo tu pensamiento.

UNIDAD DE MANDO

1
Pequeña consigna

No ruegues por la felicidad
Busca al tigre azul
Cázalo a como dé lugar.

2
El silencio y su espada

Deja que hienda a la estrella
Y sólo se parta
Contra las ramas secas
Del relámpago.

3
Generosidad

—¿Quieres bañarte en tina?
—Aquí sólo hay mar.

4
El trompo en la uña

Hoy ayer mañana
Si de veras eres mi amor
Baila al son de lo desconocido.

5
Dimisiones

Un hombre quiero ser
Completo pero desnudo:
Jamás el babeante animal fideísta
Tampoco el prócer ni el ideólogo
Ni el filósofo
Que desarraiga de sí mismo
El noble espacio de la carencia.

6
Duración

Tendida sobre la yerba
La mujer de espuma y gasa
Sobrevive a su verde cama de fakir.

IRA SANTA

Yo te desencanto,
Espejo en la estación
Del deshielo.

Tú me desencantas
Escuadra virulenta,
Aforismo bárbaro.

Él se desencanta
Y cruza de cabo a rabo
La escondida vena.

Ella nos encanta
Con diamantes encarnizados
Que se vuelven pura combustión
Y nada de materia.

SAN CRISTÓBAL

Los icebergs obedecen su timón de niebla
Mientras el viento embaraza a las banderas
Y te ciñe como la serpiente al árbol
Y sube hasta las plantas del niño que llevas en los hombros.
Tu pisada es incierta
Y el camino sigue virgen
Mientras el niño con las riendas en sus manos
Sujeta el bosque tempestuoso de tu pelo.
¿Acaso remas? ¿Avanzas acaso?
En el mar infinito la orilla de tu barca
Es la única orilla.
El niño sabe que naciste andando:
Andando vas a morir
Y cuando te acabes de hundir en la tierra
El pequeño Dios iniciará la marcha.

DOMINIO ROJIZO

Para mi hija Mercedes

De pronto
Sin previo aviso
Sin que nada lo anuncie
Sucede la luz
Como sucede un álamo.

No poco a poco
Sino toda entera
La luz desciende
Y funda su dominio rojizo:
Más ligera que ella misma
Recién nacida o moribunda
Responde si la llamas.

TENER CONCIENCIA

Si yo tengo conciencia
—Y otros no la tienen—
Que la conciencia no sea lujo innecesario,
Pobre tesoro robado al insomnio
Para envanecerme y ser distinto:
Lengua pontificia
Hinchada y verde como nopal,
Lengua incapaz de plegarse contra el paladar
O decir, en el centro del torbellino,
Algo creíble antes y después de la apariencia:
Si yo no fuera culpable como todos,
La imposible salvación
Sería difícil.

SENTENCIA BREVE

Bienhaya la sentencia breve
El trueno dicho en voz baja
La pausa bien dicha

Mas la plegaria que cuenta
Es polvo de gemidos
Chirriar de vidrio roto entre los dientes
Adiós que alguien grita con la boca llena
Con la boca llena no se habla
Con la boca llena de sangre de palabras
No se habla
Hasta que el reino llega
Y la inarticulada plegaria estalla
Suavemente amplificada
En la bocina de las amapolas.

SOBRA ESPACIO

Tocando la tierra a diario
—Al cielo cuando el cielo me da permiso—
Digo dos cosas:
Hay mucha danza y poca música
Hay mucha música y poca danza.

Y ya que el espacio sobra
Digo otro par de cosas:
El poeta inventa lo que mira
Y marcha en línea recta:
Son otros los que avanzan
En sentido contrario.

MAR DE FONDO

Entre la uña y la carne
Hay mar de fondo
En la orilla de la playa
Hay mar de fondo:
Un mar que despliega su abanico
Entre caracoles tan viejos
Que ya no recuerdan ningún eco.

ÚLTIMAS NOTICIAS

El cielo,
Caro abrigo,
Nos cobija sin tocarnos;
La luna hollada
No alumbra como antaño;
Los peces, sin párpados,
En la ebriedad matutina
Sustituyen al hombre
En la aventura de soñar despiertos.

RETRATO AL CARBÓN

Te has de sentir sola,
Desnuda como la comida del verano,
Detenida en tu propio umbral
Por una de esas anclas
Que llegan hasta el fondo del alma.

¿Oyes? Un sollozo bajo el montón de rosas
Flagela a Europa y al Minotauro.

Estás sola como un diamante de aire
Y ni yo mismo oso recordar
Ese tiempo maravillado,
Las horas salvajes
Que se levantaban de manos
Cuando tus ojos encendían el bosque
Y caíamos en trance
Más allá de las vísperas del medievo
En las tierras aéreas
Del ciego amor clarividente.

MARIPOSAS VERDES

El niño estudia la manera
De meterse en la bolsa
Mariposas verdes

El niño quiere
Que no se rompa ala ninguna
Y que en su pantalón
El cielo se acomode
Y también las estrellas
Y el sol y los demás planetas.

Quiere cambiar la vida
Por un puñado de mariposas verdes,
Volar más lejos
Que un bumerang desmemoriado,
Volar de sí mismo
A sí mismo,
Indefinidamente quieto,
Casi hermoso
De tanto desear para todos
Un poco de buena suerte,
Un largo trago de luz
Para quitarnos mil años de encima.

RECIBIRTE CANTANDO

Para mi hija Ana Luisa

Mientras más grandes son
Menos cantan las aves
Oh almendra de sol
Casa custodiada
Por una pareja de tréboles

Como la felicidad
Tú también eres pequeña
Y no se me olvida tu sonrisa
Puerta de ti misma
Que un día será la del mundo
Un día el mundo será sólo día
Un día el mundo y el día serán tu sonrisa

Mientras tanto
Canta sin abrir los labios

104

Baraja las hostias del álamo
En un mismo mazo ardiente:

Reparte las cartas
El juego de la vida ha comenzado
Los que ahora son niños
Mañana van a ganarlo.

ESCRIBO EN TI

Me tocas sólo con mirarme
Te blinda la mirada
Géiser de carpas doradas
Esbelta marejada
Ciudadela erguida
Entre fortificaciones vacilantes.

No habrá piedra que sobreviva
Sólo tú permaneces
Y como escribo para ti
En tu espalda grabo
El aletazo de mi despedida.

MUERTE POR PARTIDA DOBLE

Frente al espejo
De pulida espalda
Me llevan preso,
Bastante preso en verdad,
Preso de remate
Si me dejan decir.

Mi zapato descosido,
Bostezando contra el suelo,
Lleva el ritmo de la marcha
Que precede a la ejecución.

Podrían ahorrarse las balas
Porque voy a morir de estupor:

En cien planetas a la redonda
Aquello que al tiempo escapaba,
De un modo endiablado pero lento
Ahora también envejece.

Nos visita de veras lo inaudito:
El arlequín se desnuda
Y las paredes se visten de rombos;
La tupida joya se desborda en reflejos
Y a la eternidad regala
Sus primeras canas.

BABY-SITTERS

A David Cook y Kimona Longinotto

I

Las cosas se han ido a dormir
Y una pareja
—Un hombre, una mujer—
Pasa volando
Y baja de la tierra a la tierra
Para que unos niños
No pasen hambre ni sombra
En la espinosa noche
En que sus padres
Van a visitar su propia niebla.

II

Ellos —un hombre, una mujer—
Descienden y llaman
Pero la sorda puerta
No escucha el golpe
De sus lívidos nudillos.

III

Los padres regresan
De su niebla
Antes que el viaje
Los devore por completo:
Los ángeles terrestres
No fueron necesarios
Y dóciles se retiran
Con el ala entre las piernas.

MAL HUMOR

Sentada en el filo de nopales
Mi alma se pregunta qué pregunta.
Desde temprano arde ensimismada,
Atraída por jardines de bruma y nieve
O el recuerdo de floraciones lujuriosas
Donde todo tiempo y todo lugar
Ocupan apenas una cabeza de alfiler.

Ya el estío perdió su candor.
El viento caminero blinda mi oído
Y a duras penas le respondo
Dándole de palos a los nardos.
Una sombra rompe la cornisa.
Por mera casualidad
Oigo otra vez
El olvidado fragor de la belleza.

PRIMACÍA

A Salvador Elizondo

La primavera interna
Crece sobre un nido de pestañas
La primavera en general
Menos profunda
Que la memoria del deseo

Al fin se marcha ofendida:
Cesta de ámbar
Verdad de a puño
Puño de verdades
Forma de espuma
Espuma de la nueva forma
Mental y sensual
Primavera que es nuestro huésped
Primavera que habitamos:
A caballo sobre una interjección
Te marchas ofendida:
Había que olvidarte
Al inventar o pedir el fuego.

CALAMIDADES INFECCIOSAS

Pese a su botón de oro
El florete hiere
Y sus tajos instantáneos
Esparcen el bulto fijo del pasado.

Cenizas de fósiles
Y fósiles de ceniza
Vuelan sin salir del hangar
Mientras que el rehilete hecho de pétalos
Antes de cumplir
Su primera vuelta
Se dispersa.

Estas calamidades se graban
En lo blanco de mis ojos
Y veo la ausencia que anega mis zapatos
Veo mi falta de ser encrespada como nunca
Veo leones que sonríen y sonríen
Mientras devoran la lívida sandía del menguante
Veo coronas que saludan y saludan
Como si fueran el sombrero de la muerte.

EL ALTAR DE LOS MUERTOS

Recuerda el poeta lo que el pueblo olvida:
El color de la macana,
El sabor del gas en la boca rota,
El aire inmóvil, muerto de una directísima pedrada,
El terror colgando de un hilo,
El cometa azul de la vida colgado de un hilo,
Todas las arañas del mundo colgando de un hilo.
El poeta recuerda y la catapulta de su boca lanza
Palabras de piedra, emponzoñados jeroglíficos,
Gusanos en descomposición,
Vanos intentos de digerir unos hechos
Más grandes que la realidad.
Al fin Huitzilopochtli
Después de cinco siglos resucita;
Su collar es de suásticas de hueso,
Su altar en Tlatelolco
Entre la escoria de tres culturas se levanta,
Mientras el duelo sube por los tobillos
Como una ardiente alfombra de vapor
Y las cabelleras son izadas a media asta
Y la tristeza mata por enésima vez
A nuestra terca nación resucitada.
La ira del Popocatépetl
Calladamente circula hacia adentro
Y hasta el niño menos viejo advertiría
Que el país que tuvimos ya no lo tenemos.

Un nuevo territorio
—En este siglo expansionista—
Al infierno fue anexado
En un dos de octubre mexicano.

EL BOSQUE VACÍO

He grabado tu nombre
En todos los árboles del bosque
Y no hay manera de orientarse
En la ciudad donde las calles se llaman como tú

Dispénsame querida
La policía nos busca
Y desde que el gobierno le puso doble dentadura
Se ve más esbelta más valiente:
Ahora el pueblo es la funda de sus bayonetas
Hay más policías que ganas de vivir
La flor que me diste
La degolló una lágrima
Y el ojal de mi saco nuevamente está vacío
Más vacío que los ojos de las máscaras
Vacío como el pecho de la policía
Al perseguir tu nombre
Por todos los árboles del bosque.

JOSÉ REVUELTAS

Brillaba el sol en su alto domicilio
Y bocas infantiles pintaban con su vaho
El transparente pizarrón de la mañana,
Cuando abrieron por fin la helada reja
Y apareciste tú, el calumniado,
Preso hasta los dientes, uniformado
Pero distinto a todos.
Dejabas que tu espíritu volara
Más libre que nunca,
Rasgando el cenit de la penumbra,
Elevándose en barquillas y globos indecibles
Para posarse luego en los objetos de tu celda
Con una luz que la yerba no conoce.
Zapata, Villa, Flores Magón
Arderían contigo en el mismo abrazo.
Los estudiantes muertos, el pueblo acribillado
En Tlatelolco
Y las rosas amarillas
Besarían tu frente
Espaciosa como un hangar en que duermen
Aves de metal, pensamientos limpios como nubes.
Te enviaron a la cárcel,
Violín de pueblo que sólo el pueblo ha tocado.
Vamos a ver si consiguen que te pudras,

110

Vamos a ver si el mar no se les cae de la mano
O si tapan al sol con un dedo
O hieren con balas tu sombra ubicua.

SOY TODO LO QUE MIRO

1973

THE REASON WHY

Porque yo viví en territorios
De cuyas veinticuatro horas
Ninguna perteneció a la noche

Porque viví
Con la sangre amartillada
Apuntando al sol

Porque yo viví
La infancia que me tiene viudo

Porque di a luz
Un pecho reducido a nada

Porque yo instauré
La navegación del ojo
Sobre rosadas olas de gladiolos

Porque vine y fui
Con un tapete de cuchillos
Entre mi pie y la dormida arena

Canto ahora como nunca
Y como siempre.

LA RUEDA QUE SIEMPRE SE REPITE

Cada año las mismas violetas regresan
Y el oro secreto escurre entre el puño crispado
Hasta que los astros enhebran en la altura el largo tuteo
De sus reflejos, escombros y resurrecciones.
Cada año los pastores conducen su manada de olas blancas
Hacia la tierra que es presentimiento
Río de ojos que labra en lo alto
Un sendero difícil
Donde no se necesitan ni el día ni la noche
Y donde mi alegría
Es su propio sol.

115

EL CANTO DE LAS COSAS

Gorjea el fuego
—Pausa en flor—
Y amaciza el canto sus columnas
Y la hormiga humana
Se torna más visible
Cuanto más remota.

Ando de puntillas
Para que mi cuerpo no me vea partir:
Éste es el fin sin fin
La capital del corazón
No es el corazón.

Barda mullida para la siesta del faisán
Canto macizo desgarrado en el zarzal:
Ya sabemos que las cosas
No deben ser tañidas:
Mejor nos hacemos los dormidos
Mejor dejamos
Que canten por su cuenta.

EL TIRO POR LA CULATA

Azul de tantas buenas noches
El cielo de los necios
Descifra el apellido de una fábula
La filiación de un sollozo
El inciso la matrícula el estante
De cada sombra que huye o se acerca galopando:
El poeta nombra cosas
Pero el burócrata les pone número,
Esto último
Es lo que ya no tiene nombre.

NEGACIÓN

Agua fría para el deseo
Golpe asestado por un relámpago

Terciopelo raído
Con cepillos para caballo
Carne que se dora
En la más lenta parrilla del amor
El escalofrío que sube y baja
La muerte chiquita la muerte mediana
La gran muerte a mi medida
El paraíso en bruto
Sustraído al reposo
El yo y lo demás
De súbito anulados
Por un rayo que zozobra
En la piel del ojo.

EL JOROBADO Y SU FALTA DE PEGASO

La tierra huye de la bota
Como alfombra viva:
Adónde quieres ir
Con tu domicilio a cuestas,
Giba de pan que no te comes
Porque nada más te lo prestaron,
Morral interno bien cerrado
Y que ya nunca te exaspera:
Se abrirá con la muerte
Como todos los demás misterios.

SOY TODO LO QUE MIRO

Bañarse bajo la luz de un álamo
Ser todo cuanto miro
En el pozo del sol.

Sorpresa blanca
Que te acuclillas y saltas
Y me lames la mano con tu llama
Y mueves cabellos
Pegados al rostro con lágrimas:
Vete de aquí

Quema la selva de arpas
Y al viento que la hace gemir
Porque es su amante consumado.

Siempre no te vayas
Sorpresa
Déjame ser todo lo que miro
Tus pavos irreales me interesan mucho
Tus nubes que bajan sin convertirse en lluvia
Me interesan.

Entre la inmensidad y mi estupor
Tus flancos incandescen
Coro de las anticipaciones
Tupida amarillez:
El mundo que nos prohíbe volar
Nos debe su propio vuelo.

VICENTE HUIDOBRO

Toma la carretilla que trasplanta al desierto
Toma de los cabellos al planeta que se evade
Toma con tu mano más negra tu mano más blanca
Toma el muslo que te corresponde bajo el torbellino quemado
Toma el breve arado y parte en dos la crin de mi caballo
Toma al verbo proliferado
Toma al discurso desángralo con el golpe de un mazo de vidrio
Toma mis comuniones
Toma y esparce a la noche acurrucada en un salero
Toma el lanzallamas dispáralo a voluntad sobre los que se
    han dormido
Toma al silencio por la punta de un erizo de mar
Toma mi capa de oropéndolas mi sombrero trazado por una
    libélula
Toma al reptil refractario al oso erguido por su mordaza
Toma al árbol cuyo fruto es un cuervo flechado por las ramas
Toma al higo transparente de todas mis lágrimas reunidas
Toma el jugo del mediodía en el vaso de mi cuerpo
Toma el segundo y el penúltimo estremecimiento de mi
    clarividencia

Toma la manguera del viento y mueve a las palmeras con
    todo y playa
Toma los maderos de oro a la deriva porque son parte de mi
    palacio
Toma la lengüeta de la manzana antes de que crezca el hocico
    y el resto de la serpiente
Toma la ciudad con un solo soldado de plomo
Toma al florero flamígero y hazlo levitar ahí donde no hay
    ninguna mesa
Toma el chorro encantado en una pose de milenios
Toma las de Villadiego ante los móviles paraísos de plástico
Toma a la belleza arráncale sus joyas déjala desnuda
Toma tu merecido
Toma tu lugar dentro del libro en que sólo se lee tu nombre
Toma tu lugar en ese centro de ese centro que debiera ser el
    centro
Toma tu lugar entre los bañistas con perlas en el hígado
Toma tu lugar en el palco de las lianas que van a desvestir a
    los actores con su lengua
Toma tu multiplicada arboladura
Toma tu luz consúmela en el mar para que los faros en rebaño
    no se pierdan.

UN POEMA EN VEZ DE DORMIR

After the first death
There is no other

DYLAN THOMAS

Otra vez llamados por las llamas
Nadando en sueños tan anchos como el día
Quienes han entrevisto la belleza
Regresan con cristales viudos
Y se detienen en mitad
Del hoyo de su tumba:
Cuánta precisión
Qué de agua en vilo
Bajo el puente de las cejas
Cuánto río pecho a tierra
Plantíos de estalactitas

Cielos enterrados
Rumores de orillas desmoronadas
Cuando vello y terciopelo
Se erizan de consuno
Y surgen cabezas de alfiler enfosforadas
Puntos de ignición diciéndonos
Con su apaga y prende su prende y apaga
Que las estrellas más brillantes
Son las menos irritadas

EL ARTE DE LOS SORDOMUDOS

El arte que es marimba de los sordomudos
El arte que muerde vejigas de sangre humana
El arte pintado durante una embestida aérea
El arte de escribir o de enseñar a escribir a los caballos
El arte por el cual un fideo cae en un plato de moscas
El arte de invertirlo todo
El arte de poner a los fresnos de cabeza
El arte de producir artistas
El arte cansado de estar cansado
El arte de boxear contra el silencio
El arte de colocar ojeras en quienes han dormido toda la vida
El arte que da fuerza a la cola del cocodrilo
El arte que vuelve jóvenes a las niñas de los ojos
El arte de meterse entre las patas de una manada de elefantes
El arte de decir ya basta en un convivio de gorilas
El arte de matar al arte
El arte de morir como se pueda
El arte de grabar en las nubes un texto cuneiforme
El arte de apoyarse en un codo hasta volverse una bandera
El arte muerto en decúbito primaveral
El arte de montar huracanes en el centro de la tierra
El arte de hechizar a Circe con un falo absolutamente no
        reglamentario
El arte por encantación
El arte turbio
El arte de sudar espuma en pleno invierno
El arte de pulirse las uñas para entrar al cementerio
El arte de renunciar al arte

El arte diluvial
El arte que mancha al espacio con la transparencia del perfume
El arte que mata al gorrión con el golpe de un alpiste
    sobrenatural
El arte que tras un siglo de buceo no descubre el fondo de la rosa
El arte que no sería un rascacielos si sus cimientos no fueran el
    mediodía
El arte espiga quemada
El arte de desenterrar la vida
El arte que encarcela al silencio tras un pentagrama siempre
    virgen
El arte que embotella al mar
El arte así y el arte asado
El arte pararrayos de todo claro desvarío
El arte como una estaca que triunfa y penetra el pecho del
    vampiro
El arte reventado por una astilla de espacio
El arte que borra a la página en blanco
El arte que priva a los ciegos de mirar el negro color de su
    ceguera
El arte clarinada de nada
El arte que sopla sobre la brasa de la resurrección
El arte que es música mirada
El arte visto a contraluz
El arte enraizado en lo quieto del remolino
El arte donde resplandece la sequía
El arte cascada de semejanzas
El arte de leer las entrañas de una pitonisa descuartizada
El arte bosque encarnado
El arte que nos aplasta con una mota de polvo
El arte mina de alas
El arte que es agua cierta
El arte con sus naipes en llamas
El arte deshabitado y taciturno
El arte numeroso
El arte que tatúa los huesos del lenguaje
El arte que vive maldiciendo a la historia
El arte de calcinar a una biznaga
El arte que reverdece cristales extenuados
El arte que truena desde el olvido   y
El arte de dormir con los ojos encendidos.

VIAJE EN TORNO A UNA ALMOHADA

Momentos como éste me deseo
Blancura en torno
Cortada a la medida
Y un firmamento
Que reposa y se ovejuna.

Cómo cuesta la paz
Que no se paga con nada
La quiero para mí
Hoy que desciende ondulando
Mantarraya de seda
Bandera carnal
Oleaje de caricias
Sobre el lomo intranquilo del espacio.

Un tajo obscuro de tordos y palomas
Le corta la cola al viento:
Se adormece la visión exiliada
Mientras hierve por dentro un árbol
Al que se le duerme el brazo
Y que cambia de postura
Acostándose en su sombra.

El crepúsculo se sienta
A verse morir:
Yo quisiera zurcir sus heridas
Con el hilo esplendoroso
Que dejan tras de sí los barcos.

Momentos como éste me deseo
Porque después abriré mi diálogo
Con dinosaurios remecidos
Y capa por capa
La tierra será hojeada:
Aparecerá el jurásico
Incrustado en la almendra más honda del infierno.

Oh que avance rumorosa la noche
Como un iceberg de obsidiana

Y antes de levantarme
—Ulises ya de regreso—
Compruebe que mi pecho inmóvil
Ha viajado y ha crecido.

RETOBOS

No renuncio al abismo
                    Tampoco a la cuerda floja
Cuando me despeño
                    Temo ser herido por la red
Mi casa es la medianoche
                    Por eso no encuentro las paredes
Masculla su ira el cadáver
                    Le habían dicho que por fin se
                                    descansaba
Meteoro huraño
                    Caíste pero no te apagas
El espíritu de contradicción
                    Resplandece en el tabernáculo
Si dices que me detenga
                    Seguiré hasta el fin
Mas prefiero no llegar ni partir
                    Encallarme en el callarme
Prefiero la lluvia negra
                    Que llora el girasol
Inclinar su cabeza
                    Sobre el cuello tan frágil
Tener hambre de ayer
                    Como la brasa
Duermevela vela dormida
                    No sabré qué hacer cuando despiertes
Ceniza
        Eres pura ceniza
Cremación de mi amor
                    En la plaza pública del pubis
La cremación de mi amor
                    Conmigo mismo en la pira
Soy el hombre
                    Pero también la viuda

123

Entre el albañil y el albañal
                    Un hilo de agua verde se evapora
Me espío porque me conozco
                    Me quedo porque no he llegado
En la esquina
          Una garza perdida centellea
Hay un pirata en el jardín
                    Es el viento que se embolsa cuanto puede
Es la cuaresma infinita
                    La vigilia después de la vigilia
Orilla de agua
          Te fortifican las demoliciones
Mi piel es la prueba
                    De que nunca voy demasiado lejos
Yo soy nosotros somos
                    Un solo rostro quemado por el olvido
Al fin resuena el hundido salterio
                    Al fin lo cruzan centellas natatorias
Cuando se besan los astros
                    La catástrofe no importa
Parca parca
          Puerca parca
Préstame un poco
          De mi propio cuerpo
Yo te pertenezco
          Pero no eres mi destino.

LUGARES DONDE EL ESPACIO CICATRIZA

1974

A Rubén Bonifaz Nuño

Mi aflicción no es por quienes se van o permanecen sino por aquellos que no abrieron la distancia con el cuchillo de cuatro filos, con su mirada que pudo ser cárcel exacta de la ira mágica. Cierto que el ave canta, mas si extraviase un ala también ésta cantaría, garganta de seda, hoja barbada. ¿No la oyes batir dentro del pozo sin tocar jamás la superficie? El viento que repta entre sus plumas, esparce pólvora secreta que luego el verano enciende. ¡Suerte y claror uncidos como bueyes! Las palabras posibles se niegan a salir. Toda el agua de mi buque cisterna la llevo en mí. Yo mismo me apaciento con la mano abierta palmeándome el pecho. La plenitud no es negra ni es blanca y la cruz blanquinegra de una BANDADA vuelve a pasar como una sola ave y en el aire despereza la pincelada de su rastro. ¡Cuánta caridad para el ojo mortal!

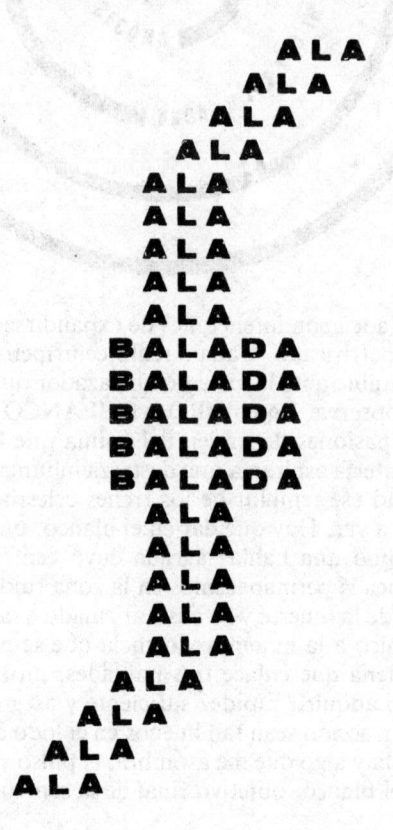

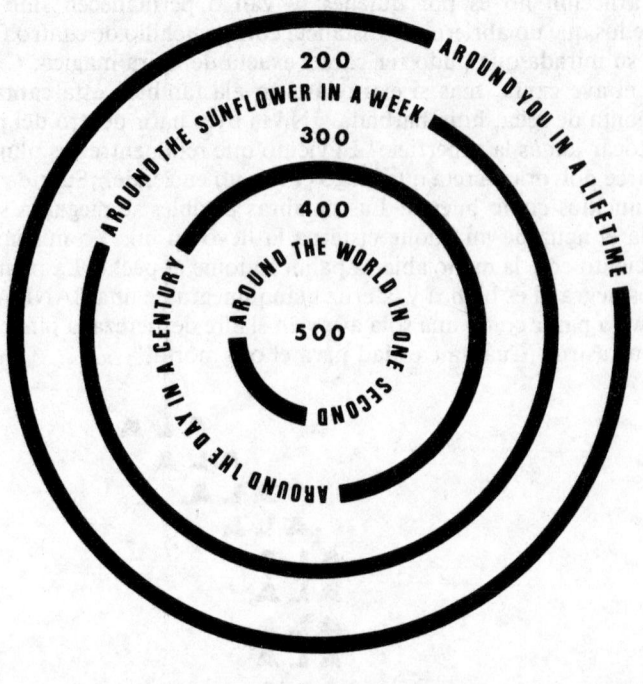

La comarca jadea con intenciones de expandirse pero apenas logra ser espasmo petrificado. Cada círculo centrípeto o centrífugo permanece inmutable ante la vista de un cazador que retrocede ante el lince que lo observa. En el TIRO AL BLANCO lo que importa es acertar. Las pasiones dependen del ánima que las anima, pero el pulso y la puntería aspiran a una destreza inhumana. El azar dicta a gran velocidad ese temblor de los trenes celestiales que nunca vamos a volver a ver. Hay que dar en el blanco, un blanco móvil que nos rodea como una bahía sagrada cuyo centro no va a ser encontrado nunca si permanecemos en la zona ruidosa de los dimes y diretes, lejos de la muerte y su oasis afirmado a la orilla de un precipicio. Yo aspiro a la inmensa violencia que se necesita para construir una cadena que enlace tres unidades: mi brazo, el arco y el blanco. Debo adquirir rapidez suficiente y asegurarme de que mis elementos de tracción sean tan buenos en el lodo como en el asfalto. Sin embargo hay algo que me asombra: el pulso victimario tiembla. En cambio, el blanco, objetivo final de la sentencia, no se inmuta.

A veces nos posee el imperio táctil de los ciegos: se sale de un laberinto a condición de no apartar la mano un instante del muro curvo, cifrado y enemigo. El ombligo, el ojo clausurado, nos une con la matriz del aire abierto. No saldremos. EL ANCLA se abisma en distancia solapada y arena insidiosa. Bastaría un solo caballo del diablo para matarnos de estupor. ¿Cuál es la base de la realidad? ¿Qué especie de disparate cósmico somos? ¿Hacia dónde puede ir una nave que es su propio puerto? La realidad no tiene base. Ésa es la base de la realidad.

LA REALIDAD NO TIENE BASE

ESA ES LA BASE DE LA REALIDAD

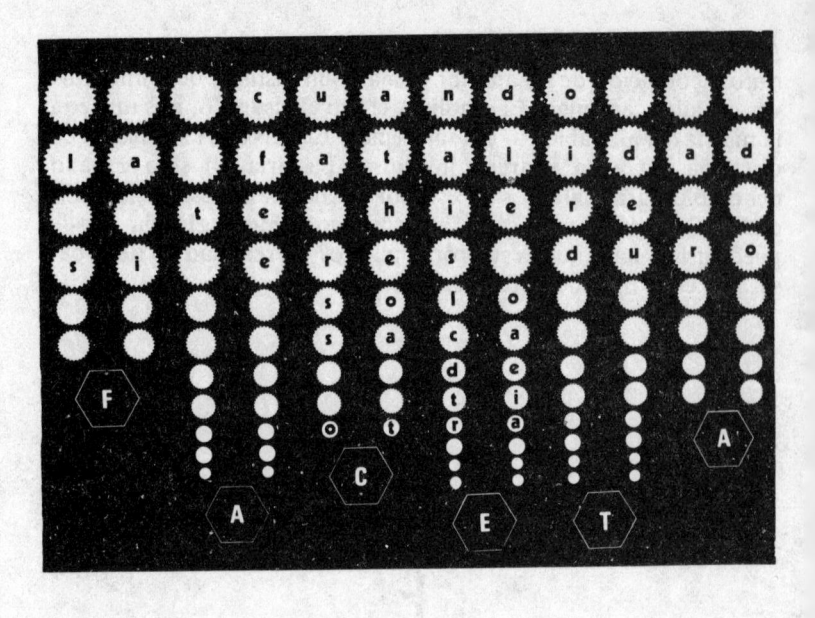

En otoño el árbol llora sus hojas por amor al pleamar descabellado y el sigilo porta al día en la cadera como una mujer su cántaro rumoroso. En cambio yo, estoy lejos de la voluptuosidad y de la constelación que trina. Estoy desollado como un pétalo de alcachofa. Y claro: gimo en abierta contradicción con el paisaje, pues no se trata de inventar melancolías gratas al oído sino de aullidos que duran cada día un segundo más de lo que dura el día. No sirve hablar de la intemperie tranquila a causa de tanta luna. Los cóndores de la sequía anuncian que estamos en vísperas del vértigo rojo, en vísperas de un tremendo ahora eterno. La sangre y las manos sólo en el crimen se saludan. Mas no te intimides, porque para ti —para cada quien que sea un tú— me atrevo a decir: "Cuando la fatalidad te hiere, si en verdad eres duro, sólo arranca de ti otra FACETA."

SE LLAMA COMO QUIERAS

1974

EL MOVIMIENTO ES PERPETUO
MIENTRAS DURA

El pasado no muere con los muertos
Helo aquí atollado pero en movimiento
Rueda hipnotizada
Roja homilía dispersa
Bajo el agua que sisea
Tiovivo que me ciñe
Como un abrigo de cristal cortado;
Éste es el lugar de la cita
Éste es el encuentro

LAS PALABRAS SE DESPRENDEN
COMO FURGONES

Solo estoy como un brazo de mar amputado de la tierra
Solo estoy como un brazo de mar
Solo estoy como un brazo
Solo estoy
Solo.

AHORA SÍ QUE NI MODO

En el bosque de señales
Lo miro y no lo creo:
A causa de tanta agua
Mi dedal de plata
Nunca se ha llenado.

NATURALEZA VIVA Y MUERTA

A la manzana le brota un halo
Pero mejor pruebo al gusano
Limpio sano esbelto
Contaminante y no contaminado:
Lo único podrido
Es la manzana.

133

ALGO MÁS QUE LA SED

El noventa por ciento del cuerpo humano
Se compone de agua
Y yo voy a licuarme por completo:
Si estás presente
Se me hace agua la boca
Si estás ausente
Los ojos también se me hacen agua.

EXCESO

Encima de que eres
Una luz tan pobre,
¿Todavía pestañeas?

COMPOSICIÓN DE LUGAR

Allá hay un aquí
Donde el puño es buzón
Y la carta es el viento
Un repentino aquí
Donde los caminos mueren
Con las botas puestas.

EQUILIBRIO

Se ha amado más de lo que se ha bailado
Se ha sufrido más de lo que yo he sufrido
Se ha muerto más de lo que yo he vivido
Se ha llorado más de lo que yo he reído
No se ha sido más yo mismo de lo que yo lo he sido.

La balanza del mundo
Es fiel a su propio fiel.

LEÑOS PARA LA MISMA LLAMA

Todo y todos
Querrán ahora moverse más en menos espacio
Y el ojo mismo ha de prepararse
Para saltar la cuerda de la ceja.
Tendremos cuidado en sacarle punta a los castillos
Y en guardar lo que concierne a pocos:
            Desentierro de la tierra
            Desentierro del lenguaje
            Lento desentierro de las violetas
            Que vuelan más aprisa que su aroma:
            La eternidad comprimida
            En los momentos que olvidé vivir.

FATALIDAD AZAROSA

Si un rayo cae
Le cae a Montes de Oca
Si una tripa se revienta
Pertenece a Montes de Oca
Si un caracol estalla
Es un oído de Montes de Oca
Los dioses mudos
Detestan a quien ciñe los cabellos de la noche
Con grandes peinetas de arcoiris
Montes de Oca sabe esto
Y sufre amablemente
Desde que el gallo persigna a las sombras
Hasta la misma hora del día siguiente.

WAGONS LITS COOK

Se abren las pinzas de mis labios
Y se estrella en el suelo
El cristal que iba a decir
Hierve el asfalto
Está caliente por ambos lados
Canta el poema que es vértigo

Síncope y resurrección
Despreciemos a la palabra negada y anegada
Con la carne basta
Con nosotros sobra.

COMPARECENCIA

Araña de tristeza
Ola conturbada
Entiérrame adentro del poema
Pero con un brazo afuera
Para que yo no olvide
Al viento que me olvida.

Lo que flagela no es el dolor sino el embeleso
Pues una fiera apenas rasga apenas mata:
El recuerdo asesina mejor
Cuando pregunta
Por qué seguimos vivos.

Enterradme oh aves amistosas
Con un brazo fuera de la tierra:
No quiero olvidar al olvido que me olvida.

FRACASO

Dios que estás hecho
De levadura de luciérnagas:
Todo pasa
Menos mi giba dromedaria
Todo pasa
Menos la ciruela pasa
La llave se atora
El candado no se abre.

Algo hay
Que yo no sé
Si es éxodo o exilio
Vertiginoso cuarto de conversión

En que tu vuelo se reduce
A un suspiro encuadernado
Entre ambas alas.

NEW YORK CUT

Para Ramón Xirau

Puedo ver al silencio
Completamente muerto
Con un par de escobazos.

Pero el signo que se revuelve tras la pesada caperuza
Aquello que ara y al mismo tiempo germina
Lo claro
Lo que se llama claro
Nunca lo he podido ver.

Los dioses dictan a la noche
Lo mismo que nos decimos
A nosotros mismos:
El claror indiviso ha sido siempre
su propio gato encerrado.

PEQUEÑO LAROUSSE ILUSTRADO

Hay lo que quieres que haya:
Un garrotazo, un hoyo cariazul
Un cuerpo crucificado
En la enredadera del silencio.

Hay niños jugando
A sajones y normandos
Niños buscándose el ser en los bolsillos
Solos como el diablo
Un diablo azorado
De caber en cárcel tan escasa.

Hay cartas
Tercas y malditas cartas

Que se las arreglan para llegar
Sin alas ni cabeza:
Palomas prensadas
Subterráneamente arribando
Como topos de agua
O pensamientos que no se atreven
A pensarse.

Hay lo que se obstina
En su expansión perpetua
La pierna crecida
Al sur del mar que la embotella
Hay mi camisa hinchándose de ausencia
Mientras cada mientras
Origina un estallido
A cien leguas de la nave bombardeada
Mientras la sandía
Es devorada por sus propios dientes
Y el nadador perece
Sin agua ni alberca ni clavado.

Hay por fin
El vacío que insufla en la tierra
Su transparencia abrumada
El vacío cargado
De la intención de no tenerla:
Puerta condenada
Puerta condenada a abrirse
Sin el menor motivo.

POSIBILIDAD

Las lentejuelas de la chimenea
Y la nieve agitada en el pisapapeles de cristal
Combaten en el mismo bando.

La cabellera de cables electrizados
Que chicotea en el suelo
Y las cáscaras de astro tiradas dondequiera
Y el bulbo boreal

Esponjado en las vísperas
De una tremenda primavera
Combaten en el mismo bando.

El otro bando
Nulo y constituido por nada
Sólo existe
Para que surja la contienda.

SEÑORAS Y SEÑORES

Imposible no sacar la lengua
A tanto icono sarnoso
Me hartan sus calvicies
Emplumadas de varillas luminosas
Nada quiero
Sino esta despedida a sorbos
Estos versos o migas de niebla
Con que el olvido se alimenta.

Pedazos de mi carne
Como rastro dejo:
Cuando encontréis mi estela
Habré desaparecido.

Os informo la vida se ha marchado
Pero sigue diciendo adiós
Sin pañuelo ni bandera ni perfume
Pura transfiguración desvestida
¿Acaso es conmigo que saludas?

VEINTE AÑOS

Tienes veinte años
Veinte milenios o ninguno
Lumbre esparcida
Y vuelta a contraer

139

Borbollón que dice a medias
Sus topacios derretidos
Y no circula pero asciende.

Tendida en la grama
Eres el color de cuanto crece
Un cuerpo y un no cuerpo
La fuente que baila
Con un pino de cristal
La fuente en que bebo
Sólo con mirarte.

Entre tu piel y la muralla hundida
El mioceno se acomoda para dormir
Puerta blanca lívida ligera
Aire que se queda como yo lo dejo
Polvo de sándalo jugando a las estatuas
Puerta blanca lívida ligera
No te abre una mano
Sino la conciencia de existir.

Veinte milenios
Veinte años o ninguno
Instante
Ramo de cohetes
En mi pecho abierto.

Árida tierra sé árida siempre
La caña secreta florece aunque te opongas
Apágate cuando quieras
El amor sin edad brillará por ti.

AMIGO IDO

Sus flores tan altivas
Resisten la orilla cenagosa
Sus fantasmas de cristal de roca
Se descongelan desmayadamente
Y su traje echa a andar
Tras de su maravillosa médula perdida.

140

Lo que era suyo no lo sobrevive
Mas su recuerdo no suda ni se acongoja:
Es como un reloj que sustituye su arena
Por un millón de diamantes molidos
Es como una metáfora más grande
Que todas las otras metáforas
Un como que devora a los otros comos
Identidad perpetua
Ecuador de la naranja solar.

LA MESURA DE SEPTIEMBRE

A quien cruza ácidas lagunas
Mecido por un cabello de la trenza de Rapunzel
Le hablo con el permiso
Que la mesura de septiembre
Otorga a los locos:
Olvida a la historia
No bebas el veneno
En que se han disuelto tus hermanos.

Las puertas del gineceo
No conducen al gineceo:
Debes remar contra los signos y llegar a sentir
Que la lámpara mecida como un niño por la oscuridad
Es la misma llama que otra vez nos llama.

En la danza o en el luto
La mirada hacia lo alto
No se contradice:
Lo que no es cielo es árbol.

LAS MANOS EN ALTO

Las chispas mueren antes de que el tiempo se dé cuenta
En mitad de un segundo las hambres se desatan
Los palacios antiguos
Son ahora el uniforme del asfalto
Y a duras penas me convenzo

141

De que semejante desorden
Tiene algún sentido.

La demagogia del cielo
La siempre espesa metafísica
Es capaz de unir flores vivas
En tallos de porcelana.

Yo prefiero algo más sencillo
Una fórmula compartida
Por genios y por niños
Que deje al jardín combatir por su cuenta
Y me releve de un extremo sacrificio:
El de mantener las manos en alto
Indefinidamente en el aire
Sin un clavo que me haga favor de detenerlas.

DEBE Y HABER

Se tiene o no
Un suburbio de hormigas
Bajo la coraza fatigada.

Se tiene o no
Un avío cargado de navíos
La cabecera en el ecuador
Y el pie muy sucio y sumergido
En la violenta lejía del horizonte.

Se tiene o no
Un toque de queda
En el cubil de los leones
Cierta marea de guerra
Bajo el fruto emponzoñado
Y alguna hoja escrita
Bien guardada
Entre un escamoso arsenal de pétalos.

Se tiene o no
Lo que se tiene o no.

ASÍ ES LA COSA

Mejor un amor muerto que humillado
Tú lo sobreponías
Lo sobreponías a todo mar y a toda cosa
A los dedos en alto del sacerdote
Al aquí del más allá
Mismo aquí mismo allá
Hermosura entretejida y respirada.

Se amoneda el dolor
En el agua más difícil de imprimir.

Los leves zapatos del amor
Han dejado su rastro en la ventana.

Algo se ha ido
Algo se ha muerto sin dejar de caminar.

Si amor muere porque así debe ser
No hay culpa en ello
Pero ay de quien lo mata
A sangre fría o caliente
Ya sea en su cuna o en su columpio cenital.

SÍSIFO

El tamaño del fracaso
Devuelve a la aventura su poder heroico
Reporta éxitos oblicuos
Y ya es posible atribuirle a Sísifo
La sumaria invención de los elevadores.

Sin embargo la seda no me seda
Y será siempre triste
Que una golondrina no ilumine
Todo el verano.
Al menos lo que dije no se borra
Lo dicho sigue estando dicho:
Hay que ponerle más papel a las alas de Leonardo
Y caer otra vez desde más alto.

UNAS COPAS DE POLVO

I

Alondra
      Borras con el plumaje lo que escribes con tu vuelo
Muro de agua pura
          Quien se encuentra a sí mismo no necesita espejo
Sueño quemado
        Eres el pan que yo quisiera repartir
Genuflexión aridecida
         El desierto interior es el jardín de afuera
Huelga del amor
      Tu bastión se levanta en cada pecho
Hisopo de rocío
      La hoja verde ya no guarda tu escritura
Aspa de hueso
      La humanidad que cortas ya estaba dividida
Huella digital
      Tu identidad es la semilla de otro laberinto.

II

Violencia violencia
        Por algo es rojo el sol al cerrar los párpados
Los rayos del sol
     Son nuestras plumas
Las imaginaciones de la piedra
         Lloran tigres de bengala
Las ruinas de los días
     Son mi edificio
Quien ama a la aurora
      La viste con su cuerpo
La palabra llave nunca se pierde
         La llave de la palabra nunca la
            encuentro
Jardín sellado tus semillas nos llegaron
        Con la explosión de ciertos aerolitos
Eternidad que se aferra
     Por cada rama en el bosque

Lluvia que araña
                La piel de lo que digo
Lenguaje encendido
                Tú mandas y los dos obedecemos
Ya no me revuelvo
                En el filo del mar
Ahora fornico
                En alfombra de ortigas
La mandíbula está quieta
                Ya no tritura
Los duros pasteles del silencio
Violencia
        Lenguaje
Lenguaje
        Violencia
Hemos hablado y hablado
                Como si las cosas hubieran perdido
                                la garganta.

EL POETA
NO QUIERE DESPERTAR

Sabes que no hay peligro
Nada se hunde ni se ahoga
Y si la carabela se tiende en el mar
Es que sólo se acostó a dormir.

Sin embargo hay plumaje ralo
Alas cubiertas de canas
El coche bocarriba y la rueda delirando
Coronas de moho
Estatuas asfixiadas
Por súbitos collares de perlas.

Mas para ti poeta nada está en peligro:
La carabela sólo se acostó a dormir.

LA TINIEBLA HENDIDA
SE RESTABLECE PRONTO

Mordidas implacables
Parten la membrana y el carozo
Parten la dentadura del escualo
Y ya no hay cicatriz por valiente que sea
Capaz de unir los sedientos bordes.

Calles implacables horadan la privacía del dormitorio
Destruyen mi cama
Se siguen de largo
Sepultando osarios
Bajo mareas vehementes.

Jueves eternos sobre calendarios rapidísimos
No acaban de pasar
Aunque ya sea sábado.

La página ya no obedece al dedo ensalivado
La plancha viene y va sobre la sábana
Y la pequeña arruga
Se hace cordillera.

El hombre de fe
Se muere de resucitar en vano.

CONSTELACIONES SECRETAS

1976

SISEO

Ni palabra ni garabato
Ni silencio ni perfume
Río de celofán acaso
Sólo visible
Por las igniciones
Y las caudas que levanta.

De su semen nace el aire
Nace mi antebrazo
Vencido por cinco frutos
Nace la isla de plumas
Sobre el deseo friolento
La invocación que nadie oye
Y da en el blanco
Porque el rezo es su propio fin.

BANDAZOS Y BANDADAS

Ceguera blanca
Deslumbramiento diurno
Bajo el yerberío de machetes
Ya no veo al árbol sino a sus pensamientos:
Las aves
Que se posan en su frente.

RETRATO

Las fulguraciones parpadeantes
Limpian mi monóculo
Veo lo invisible
Por las zonas sustraídas al paisaje
Así pues querida
No trates de borrarte:
La ausencia calca tu perfil.

LINDEROS DEL REINO QUE LLEGA

He aquí nuevos frutos a la deriva
Su canasta es el río
Van y vienen entre tu boca y la orilla
Mientras el durazno
Ya tiene guardada la bala de la que va a morir
Y llega la ilusión
Con su traje de carne y hueso:
No basta el amor para amarnos
Para el cielo la tierra debe ser el cielo
Gira en nuestros pechos un trompo de niebla
La eternidad no sabe a nada
Y caigo en la cuenta
De que caigo con todo y suelo.

LA MERA VERDAD

Soles solos
Soles asoleados
Vientos empedrados de gaviotas
Botas pisadas por la nieve
Rayos fulminados por la vista
¿Será verdad que no somos
Ni cuarto ni menguante ni ascendente
Sino un todo que se hace algo
Solamente para ser comprendido?

No es la muerte lo que cierra el puño
Otro poder otro poder
Casca la nuez
Derrama los sentidos.

El fuego no
La brasa es mejor
Es mejor la culebra de vidrio
Que destella sobre el muro
Y a la tierra desciende
Para convertirlo todo
En vértebras de papel y viento.

El mundo sordomudo
¿Bebe sangre
Como un mantel o un pan de arena?

La muerte no embiste
No inventa tantas estrellas como un duelo de unicornios
A la chita callando viene
No aplasta al romero bajo su látigo
No es el fuego
Es la brasa:
Mitad presencia
Mitad olvido.

ERES QUIEN ENTRA

Para mi hija Alejandra

Dudas entre avanzar y detenerte:
La suela en vilo
Mariposea sin afirmarse
En la nieve que nunca has hollado.

(Un ascua repentina
Hace de la noche un cíclope
Casi tan pobre como el hombre
Cuando encuentra lo que busca.)

¿Tanto te cuesta quebrar
Los dispersos adobes de la espuma?
Busca la firmeza que te falta
En la transparencia que modula
El ágil cero de tu boca.

Bajo el cielo que ordeña sus luces de bengala
Eres quien entra en el sinfín borrosamente desplegado
Eres la dueña
De todo cuanto no has andado
¿No es tu finca el mar?
¿Tu coto de caza
No es Andrómeda?

151

PROEZAS COTIDIANAS

Entre brasas   pero   afirmándose en voz alta
Siempre viva   pero   en amistad con las ausencias irreversibles
Inmensa   pero   transitada
La danza gira con espadas fosforescentes
Gira en el cuaderno donde muchas mariposas se vuelven hojas
Gira bajo párpados que crecen y son máscaras
Gira entre la sangre deshojada
Oye lo que murmura el agua con la lengua cortada
Y separa nuestra ceniza del polvo del camino
Instala una calavera bajo los carrillos del viento
Se rehace en el jardín de las guadañas
Siembra el suelo sobre la lluvia evaporada
Y bate palmas
Cuando el mar llega blanco a nuestras manos.

LA SÍLABA QUE FALTA

Al diablo mis pupilas vivan las apariciones
Ni siquiera en el delirio encuentro lo que busco
Una sola sílaba y mi reino sería mi reino
No de este mundo ni del otro sino mío
Pájaro que fosforece
Cuando su polución de plumas
Lo hace más ligero.

Busco la llave de la claridad
Alzo mi cuerpo
Pero me detiene mi estatura
Sílaba sílaba sílaba
Tú a solas nada significas
Cuando te encuentre la muerte me hallará
Vestido con la primera palabra.

EL VERANO ROMPE A LLORAR

Esa miel tan delgada
                    Se llama luz

Ese higo —foco apagado—
　　　　　Tiene el fuego la música por dentro
Tócalo al tanteo
　　　　　Agarra desgarra acaricia
El horizonte ya no es cementerio de miradas
　　　　　Oigo que no oigo nada
Una pluma secreta nos escribe
　　　　　Si lo dudas mírame la cara
　　　　　Surcos sin destino
　　　　　Espejo cruzado
　　　　　Por rebaños de sal
La noche quiere dormir
　　　　　Se posa en el travesaño de las cejas
Se agota la tinta
　　　　　Se agota la paciencia
Entre la obsesión y la huida
　　　　　El alba ensordece al satélite enfermizo
El incendio se encoge
　　　　　Levanta luego pinos amarillos
Y el verano
　　　　　Rompe a llorar.

LA CURA DEL CELOSO

Le sacas brillo a tu pelo
Luego te peinas:
Cola de caballo y un listón azul.

En seguida sales a la calle
A matar a las personas
Con tu famosa manera de andar.

A otros los matas
A mí me haces vivir.

Regresas despacio
Enmedallada con miradas
Como medusas de vidrio
Mas yo te aligero
Cuando me abrazas
Y nos quedamos ciegos.

153

ALGUNAS ABEJAS MUEREN EN EL AIRE

Cuando digo que estoy despabilado
No quiero decir que estoy lúcido
Sino al revés:
Me falta pabilo para arder
En esa nitidez que merece cuanto devora
Sin importarle qué pasa ni a quién traspasa.

No obstante las almas
Cambian de país a cada paso
Y uno inventa existencias enlazadas:
Palmeras vecinas
Que no aciertan a desenredar sus cabelleras.

Acepta el tú de mí mismo
Y las reverberaciones amándose bajo frazadas de olas
Ahora que sin ser ingrávidos
Un clavo de aire nos suspende
Mientras la alberca blande llamas dentales
Y la pesadilla conforta
Porque sólo es pesadilla.

Si falta pabilo
Raspemos la cera y ardamos un poco más
Que la hormiga se vuelva ojo de hormiga
Y la nada se concrete hasta casi existir
Eso no importa
Si yo precipito el vuelo
Y tú me esperas.

CIERTAMENTE

No existe la felicidad
Invéntala tú
Dámela a mí
Para que yo la esparza a paletadas de unicornio
Lo mismo a la diestra que a la siniestra
Porque yo soy el capitán de muslo resinoso
Conozco a mi barco desde que era una canoa

154

Soy quien ha reptado andado volado
Sobre los vidrios de todas las bardas de la tierra
No existe la felicidad
Invéntala tú antes de leer la siguiente línea
Ordena que aparezca la chispa encristalada
El bulbo de neón bajo el río dormido
Yo lo tomaré con osadas pinzas
Con el brío de un pelícano enloquecido por el hambre.

ESPACIO A LA MEDIDA

Estoy de más
Lo mismo en el desierto del Gobi
Que en el metro urbano
Sin remedio ocupo mi lugar
Mi cárcel tan bien medida
Como un sarcófago'
No sé qué hacer con tanto pasado a prueba de bala
Y difícil de leer como un dado
Lleno de moscas que no dejan ver la superficie
Por otra parte hay magia en el crecimiento de esto y de aquello
Magia en los ritos que resisten cualquier zarpazo
Magia en la cruz del sur
Y en todo sitio donde una sola arena
Se inflama hasta ser oasis.

UN POCO DE MIEDO NADA MÁS

Desaparece mi ilusión de fumigar vampiros
Algo sustrae el denuedo del meteoro
Mis arcas se llenan de insomnio
Y no veo nada en el circo de toldo arrodillado.

Alguien me da respiración de boca a boca
Siento un golpe de estado dentro del pecho
No pasa nada no pasa nada
¿Qué puede pasarle al anfitrión de los desastres?

Me levanto
En el tendedero se asolean las banderas de mañana.

155

LLAMARADA DE ATENCIÓN

El incendio que amo
Es mi alma encaramada en los cipresales
La palmada que anima al alba que nace
Un ramo de cohetes en ristre
Un mazazo de nardos para la recién dormida
Las parvadas de pegasos
La cólera cejijunta del negro abofeteado
El instante que no sólo es alpiste para el cucú
La caridad la esperanza la fe de erratas del mundo
Tu mano caliente bajo mi nuca
Mi nuca elevándose para dejar al descubierto
Un dorado hormiguero de proezas
Entre marchitas leyes naturales.

MARCA HASTE

Bajo el roble
Donde la sombra de los suicidas aún palpita
Hablé y hablé
De las navegaciones de tu cuerpo
Bajo la mordaza crepuscular:
Resulta que hoy ya no es ahora
El presente refuta al instante
No hay unión de las manecillas al dar las doce
El tiempo sólo es tiempo adormecido en el tiempo
Disco rayado por zapatillas cenicientas
Muerte que anuda su pañuelo
Al extremo de un metrónomo
Y disipa los fantasmas del perfume.

YO TAMBIÉN HABLO DE YORICK

Este hoyo no ha de ser
Mi vivienda alquilada

Aunque me lo haya probado
El más probado sastre

Me queda estrecho el traje del mundo
Así será mientras mis pensamientos sean
Aire que no se ha de llevar el aire.

Antes de que la tarde
Doble mis pendones
Quiero ver si el picaflor
Bebe eternidad
En el vaso de la palabra.

El fuego,   la luna,   el cielo
La metáfora y su triciclo trasatlántico
Me han citado
Han prometido quedarse conmigo
Darme uno de esos instantes
Que no se van en toda la noche.

Por eso
Por tantas promesas en que creo
Sólo por ser promesas
No creo oportuno
Cambiar de infierno.

LENGUAJE ESTANCADO

Estiro tuerzo enrollo
El texto que sin pies ni cabeza
Al menos exige una cintura
De reloj de arena.

Yo quiero darle forma
A golpes de guante vacío
Erizada peña insurgente
Cortina mineral
A prueba de transfiguraciones.

El texto remiso
Es una lápida más grande
Que el brocal del pozo
Tabla de la ley para peces ciegos

Voy a descifrar su página de piedra
Mientras arranco sus líneas como esparadrapos
Y al pozo arrojo sus letras llameantes:
He de verlas siseando
Gritando su tinta quemada
Bajo el agua que sostiene
Tus pechos en libertad
Frente a mi rostro cautivo.

Y mi cabeza se pega al suelo
Para oír extrañas pisadas:
Aquí llega la idea de la muerte
Y la uso como limpiador de parabrisas
Contra el chubasco de quimeras.

PARA LA SIEMPRE ANUNCIADA

No en el fulgurado encuentro
Ni en la cita dispendiosa
Ni en el nacimiento previsto por el azar
Sino después de que una gran nidada
Salga por todos los huecos de la calavera
Después de que la putísima veleta
Haya girado hasta desprenderse la cabeza
Y cuando el tapón de la tetilla
Deje descorchado el cuerpo
Y al irse abra fuentes de abejas
Cuya misma fuerza les arranque un ala
Después del hondón y la balsa enferma de cielo
Después
Un poco después
Cuando el vestido de la quinceañera
Desde el tendedero hinche sus curvas y tormentos
Después que el hielo de la tinta con que escribo
Me haya encristalado la mano
Como la miel del cuarzo al insecto milenario
Después que me vean llorar bolas de cristal
Cuando la senda se vuelva atajo
Y el atajo serpiente
Y la serpiente arroyo de piel interrumpida
Habrá terminado el nunca y el ahora

158

Y a ella la oiréis despedirse
Con el grito de cuando no estaba muerta
Y vuestros cadáveres
Hartos de estar desmayados del mismo modo
Se volverán hacia el sitio que el viento y la piragua ordenen
Y veréis sus senos vaciándose
Como dos mitades de un reloj que no tiene remedio
La veréis desasirse del pulpo de su montadura
Y llegar desde el cielo a su sitio verdadero
Ni apagada ni despierta
Ni piedra así ni de otro modo
Sola luz maciza
Traspasada por el cuerpo que traspasa.

DUERMEVELA

I

Caravana nocturna en que uno mide
Lo caminado durante el día
Vuelta al punto de ignición
Entre pases mágicos
Aunque tenga uno los pies astillados
Y no haya ido más allá de la cocina.

Vencejos y tórtolas
Discuten dentro del cascarón del alba
Como en una jaula insomne
Y se fundan castillos sobre agujas de coser
Y se corre sin pedir esquina
Desde Coyoacán
Hasta el cuarto donde sólo duerme
La máscara de éter.

II

Me cansa rondar la misma baldosa
Moverme alrededor de mi frente apagada
Porque mis brazos
No me dejan entrar en mi propio cuerpo
Y me asfixio más a la ida que al regreso

POEMAS DE LA CONVALECENCIA

1979

I

Ojos adentro fluye el paisaje.
Y los semblantes anegados
que emergen vivos del edén fosilizado,
las hojas adustas con cara de ciudad,
lo que resta del que fui
y resucita al que sigo siendo,
reniegan del tabernáculo
abierto por un eructo venenoso,
se dan por vencidos o por muertos,
nada quieren del deseo
que no esconde bajo sus faldas
el gozo, el mito, el alba
que bañan el sinfín de otros deseos:

Hubiese el sol completo
en un grano de mostaza,
los pensamientos desnudos
de la cintura para abajo,
la centella crecida y apareada
en el más denso cautiverio.

Se repitieran esos días
en que tu corazón deslumbra
con reverberación pareja,
siempre más nuevo
según aprende a comenzar.

Hubiese un crepúsculo eterno
y ya invisible,
gracias a la succión de los vampiros;
la plegaria y el aire, arrodillados,
uno frente al otro,
igualmente milagrosos.

Nos sorprendiera
la contorsión neolítica,
del astillado esqueleto
que sueña que lo cambian de vitrina.

Brotara de algún lado
la diáspora amarilla,
una joya fugitiva
que deja atrás a sus reflejos,
la cantera de cohetes,
la crispadura de otro nacimiento.

Hubiese, cómo no,
la exaltación de la prudencia,
entendiendo por tal,
la virtud de preservar
la incandescencia.

Viérase al camello
cambiar el trote vitalicio,
por la instantánea desmesura
en que imagina que por fin galopa.

Advirtiera yo
que la harina gris
encrespada en lontananza,
no es polvo sino lluvia.

¡Hablara yo del rehilete
que tiene aspas, gira sin descanso
y a nadie hiere o mata!

II

Una vez te vi,
hada fragilísima, florescencia
soluble en la humedad de la mirada,
ondulante friso desplegado
en música densa
como red de adormideras.

Emboscada en el olvido,
duras para siempre,
forma que al túmulo asestas
el aletazo que me conserva vivo.

De nada se enmascara
tu zumbido en celo,
presente presente en el presente,
colmada estadía canicular
sin afluencia ni resaca:
tu primera huella electrizada
desborda su propio laberinto.

A mí y a mi doble nos empalmas,
nos disuades
a la par que nos convocas,
desenterrada adolescencia
que agitas cantáridas perdidas
y con salvajes harapos que cintilan,
desde un oscuro pedestal fustigas
a los danzantes enyesados
en el momento de partir.

VI

Entra en materia la materia
y en su dura fragua
arranca mariposas
al arcoiris que enderezo,
arranca umbrales quemados,
conchas rotas
por una brisa que ensordece
y luego se evapora,
humeante jarabe de suplicio
vertido en la conflagración
taimada del eclipse.

Entra el espíritu en materia
y sus creaturas se despedazan
en las costas del insomnio,
al garete se pierden
bajo la corriente imaginaria
que es nuestro único sustento.

Venid a mí,
despojos de ambos bandos,
imanes de agitado brío,
testigos confusos
como la lengua en que os invoco,
queridas totalidades desgarradas
por un sembradío de arpones.

Sombras, piélagos, espumas,
nubes negras de futuro claro,
verdugos de águilas inéditas,
testigos sordomudos y convictos,
venid a mí,
yo os acojo.

VIII

El río decapitado
se desangra en la cascada;
donde yo me detengo
el presentimiento se desboca.

Un caldero frío en que hierven rosas
despliega su lengua transparente,
baña el aire duro que sepulta
breves fuselajes emplumados
y a golpes de cielo
moldea las olas
y una espada parte,
una tiara entierra,
entre yerbajos que sólo se alimentan
de mis lágrimas.

Doy marcha atrás.
En mi centro cobro alientos.
Y cruzo luego cortinajes de murmullos,
moradas ateridas
que el tiempo embiste sin que pase nada,
nada sino remembranzas sobrecogedoras,
pensamientos como médula de nubes,

ideas que bullen en la materia gris del epitafio
y que no olvidan al fuego,
al fuego unitario
como un parto de mujer.

IX

En lugar de este lugar
—al que devora un parpadeo—
levanto minaretes de lágrimas,
sollozos congelados
en la memoria que guarda
todos esos rostros únicos
que no encontraron
espacio ni motivo,
en el manto de Verónica.

No quiero ante mí, lugares.
El país del hombre es su pensamiento.

Incluso si estuviera
con dos llantas en el voladero,
sentado en mi balancín mortal,
cambiaría roqueríos inevitables
por lagos y arboledas de aire:
blancas fundaciones en blanco todavía,
paisajes por nacer,
el edén dando vueltas
sin latitud ni paralelo.

En lugar de este lugar,
aletazos de ser
     intermitencias
en que rebota la mirada,
la presencia sin presencia
de la noche que prorrumpe
en ecos irisados.

Se va la vida
por una corriente

de venablos y vocablos:
los lugares, todos los lugares
que recordamos y que amamos,
son caricaturas del sueño
del que fuimos arrojados,
peñascos de ceniza
en que se retuerce un página futura
y ya quemada.

Región sin dónde,
luna partida
en estrellas cardinales,
lugar sin lugar
donde rompo amarras
con el mar y con el muelle:
allá voy si es que voy
a alguna parte.

La imaginación perfora
los polos de este viaje.

El vaivén del parabrisas
me hipnotiza
y las voces de "adelante"
o "atrás"
explican los caminos
pero no la obligación de caminarlos.

Estoy en mi cuerpo
pero no en todo mi cuerpo;
de mí mismo salgo,
abandono el lugar en que suceden
y se suceden los lugares.

Oteo la patria
que sólo es amnesia del exilio,
invención que la rosa filtra
porque se busca
en la tierra negra del espejo.

Me vuelvo hacia el norte
y despierto a la deriva,

perdido entre las paredes del diluvio
y el paraíso replegado.

Posible se vuelve entonces
traducirme a rayos que el sol entienda,
cruzar mi pecho y su carnívoro emparrado,
volver en mí, cerciorarme,
reconocer al fin mi verdadera casa.

XI

Lo quiera la noche
o lo niegue el día,
en mi laberinto bebo
una canción desconocida
                          Hora del hombre
doble pincelada,
gaviota verdadera
en el firmamento del cuaderno
                          Hora del hombre
tabú mancillado,
lívido sonido que no destroza
al magnavoz de la azucena
                          Hora del hombre
hueste blanca remecida,
trébol escondido
en el cráter apacible del bostezo
                          Hora del hombre
lluvia con los cabellos en desorden,
hija del relámpago
enredada en mi leontina,
pestaña que adelgaza
hasta ser pelusa

                          Hora del hombre
ni estéril ni perdida,
pálida amante laboriosa
que hoy aquí se obstina
y planta resplandores
aunque la noche no lo quiera
o lo niega el día.

XIII

los pá-
jaros
se afirman
en su
sitio

el sitio
de los pá-
jaros
no es
su vuelo

el sitio
de los pá-
jaros
no es
su cuerpo

el sitio
de los pá-
jaros
no es
su nido

el sitio
de los pá-
jaros
no es
el cielo

el sitio
de los pá-
jaros
es el
canto

XV

Da igual
si masco betel
o tabaco vulnerario
en la inmensa noche
antecedente y sucesora:
la mirada de Dios
amenaza mi jardín enano
con el corrimiento de los farallones.

Bien está lo parido de cabeza
y el hacha enterrada
para que su mango florezca
confundido con las otras ramas.

Yo mismo enardezco
el rito de exterminio:
da igual que me extirpen el radio
o que me incendien la secante
y la tangente,
no cuadra otro destino
a la esfera acribillada,
sin brazos para defenderse.

Cabe, sí, una pregunta inocente:
¿a qué tanta malaria
para tan poco enfermo?

Bien está.
Nada voy a decir
si me dejan en la fosa
para que me pudra despierto.

XVI

Al doctor Javier Lentini

Con un gesto borrascoso
—ternura que rechaza,
indiferencia que me acepta—
alza la música
los hombros y las cejas
y al fin me es dado
ser y transcurrir.

No creo
en la música inventada.
Hay otra que mezcla su presencia
al ágil sudario del verano,
a la fuente que despide
semillas de cristal urgente,
aéreas brasas
en que todo es como nunca
y nunca es como siempre.

La música:
no creo que sea
un ave tan efímera
como sus propios trinos.

Es la conjura que conjura
al fragor anónimo,
debe ser un silencio y otro silencio
que se juntan a dirimir sus diferencias,
oh ruido difuso del amor,
aceite casi rocío,
adelgazada transparencia
que hace andar al universo.

XVIII

Envidio el movimiento,
los inquietos pies
sobre el tejado en ascuas,
me da envidia
la aleta que viene y va
en recuerdo de su tiburón originario;
yo sé que aún bajo el basalto
avanza siempre
una lenta procesión de flores.

En cambio mis tiovivos
niegan su circunferencia,
la oropéndola que he sembrado
marca el paso en un alambre de hielo
y ya no avanzo:
me reduzco a la quietud
tras una fuerte pulsación de otoño.

No se muere de la muerte
aunque sea la nuestra,
no se vive de la vida
por más que inunde los océanos.

Se muere por un ademán
eludido de sí mismo,

por un gesto prestidigitado,
por un sentido contrario
apenas contrariado,
hoja de sueño
que tatúa un imperecedero círculo
en el pecho de las aguas bravas.

XIX

Se desvanece
la carne desmayada,
es aire machacado el polen
y resto de un curvado
aroma, la vasija.

No hay puerta ni nudillos,
nadie que pregunte ni responda,
si bien la plana piel del tigre,
al abrazar la tierra
estrena un cuerpo nuevo.

El mago sacude
su cuadrado metro de espuma:
nada por aquí, nada por allá,
sólo mi reloj de palo
marca la misma hora infinita,
el mismo tiempo enamorado
del ligero taconeo
del mundo que se aleja.

Palpo un ciclón clarificante,
me dice adiós el pasado
con su muñón de espliego seco,
se marcha la estrella
—de mar y de cielo—
y no sabe por qué se fuga.

Nada por aquí, nada por allá,
tan sólo un élitro
que despereza a la campana
y tañe al campanero.

Y al salir de mí
—por mi osamenta precedido
en esta mundial evanescencia—
siento que estoy a salvo,
salvado de todo lo que viene,
salvado de la salvación
y su quimera estercolada.

XX

Tus ingles convergentes:
hermosas cuchilladas en descenso.
Trato de expresarlas
pero huye el aura de la revelación,
se borra el corredizo blancor
que unía al raptor
con lo raptado.

Trato de decir,
pero se atasca el eje,
la manivela empeora.

Noventa veces verifico
la raíz cúbica del álamo,
la estatura de la obsesión,
el gorgojo empírico,
la doble fauce que va
de la escoriación sarnosa
a la legaña cosquilleante.

Trato de decir
y apenas murmuro un caldo inexplicable,
un lodo rojo
destinado a ser
la piel que embarnece
al arrecife enhiesto.

Sólo digo
la rabia del perro sano,
cuya lengua oscila

entre dos tortas
igualmente imaginarias.

XXI

Temperatura del lenguaje
                    tea contorsionada
cielos maquillados
                    por estrellas fugaces
habitación atestada
                    que me aprendo de memoria
arrugas de una leona
                    que jamás olvido
hondas plumas que se mojan
                    en su propio faisán ensangrentado
desplazamientos omnífagos
                    en la alacena de la mente
maletas que guardan
                    el follaje electrizado de la vida
inocencia transfigurada
                    vendimia anochecida
aviones sin fuselaje
                    basura voladora
parejas copulando
                    como lápidas alternas
galaxias que no zarpan
                    viajes varados en la barrera del sonido
bengala caída
                    en la emboscada del armario
arranques inaugurales
                    que sólo son un cambio de postura
melodías destazadas
                    en obleas de perfume
fosforescencia que resbala
                    sobre el cristal blindado
eternidad desenraizada
                    jardín que vuela
en este reino
                    coronado por un viento seminal
en este reino
                    en el que caben todos los demás.

XXII

Ya no es más el rocío
la inmortal bebida,
ni soy el padre de mi identidad,
ni aquel cirro oscuro
es la viga maestra
de mi casa inmensa.

Hongos de cobre
fecundan a la luna
que se pasa de largo
en busca de otra capital
para su holocausto, .
otra capital recreada
bajo el cielo demasiado raso de los muertos.

No cantan los senderos,
ni las flores tatúan
los cuartos traseros
con nidadas centelleantes,
aunque el amor haya dado fe de cierta lumbre,
aunque haya lanzado vivas al viento
y hecho crecer los ojos al estanque,
los ojos del pan, el aire del pecho,
el llano que ya no resplandece,
la tierra que se disipa o se vacía
como jarra o volcada estatua
llena de leche.

El agua que mana
reblandece la arcilla
y los labios del cántaro
besan como besa el hombre:
oh tibieza tatuada
que erosiona a las pirámides,
aciaga imagen que perfora
con su lanza de misterio y de oro sucio
el oscilante espesor
de grandes caravanas incensadas.

Pero aunque no haya fuerzas,
aquí estamos el huerto y yo
mareados por una diadema de cigarras,
convictos de insomnio,
batiendo ventanas que han sido siempre
alas que nunca vemos,
resplandores que en su nadir estallan
para mejor filtrarse
en los pabellones inasibles de la fiebre.

No hay fuerzas,
pero las torrenteras de la contemplación
dan cauce al vendaval
que descamisa a los diamantes
y que derrite al habla,
arquea mi cuerpo, madriguera de caricias,
para cerrarle el paso
al nuevo cuerno que le salió a la muerte.

XXV

A ti te hablo, lince,
a ti te invoco, aperitivo rojo,
gloria del deseo
que horadas las conflagraciones de un vino imaginario,
los paroxismos, los orgasmos,
la efervescencia de fanales atizados
y la quietud mentirosa
de las estatuas en brama.

Te invoco, lince,
porque me dobla el árbol
de mis pasiones
y no sé si ahora podría zarandear,
a semejanza de los leones,
la difícil presa de los firmamentos en picada,
no sé si podría mover
mi propia testa,
mi peludo caleidoscopio
obstinado en no cambiar de imagen.

El sílex no corta
al círculo vicioso,
ni los manotazos rompen
la ronda de serpientes
que van persiguiéndose
frente al viento y su estela pelirroja.

¡Ya no soporto la rumia de mis obsesiones!

Salvajes guiños
decapitan visiones,
se alejan labios intensos,
más intensos tras el barniz de la saliva.

Humeante de infinito y de fracaso,
me hago fuerte
en la barricada de astros
que soportan
máscaras maravillosas
que sudan y enrojecen.

Me hago fuerte
pero la piedra de los sacrificios
es toda la plaza,
flores de cristal
aumentan el calibre de la lluvia,
se hunde la mente,
                    esponja de cosas, no de gotas,
y al exprimirla surgen,
en vez de mujeres como ciudades instantáneas,
recuerdos cada vez más frescos,
heridas que nunca escupen sus costuras.

XXX

Ebrio aparece un lento espía
con su cargamento fragoroso.
Se sienta y nada explica,
lo que calla no se entiende,
su secreto en clave

es nube ya cazada,
animal de ozono lanzado a tierra
por un manotazo más diestro
que las cerbatanas, los dardos y el curare.

La barrica de su vino
es un balaceado puercoespín
de orines rojos.
Mañana que despierte
estará confuso, ilegible
como un libro que al cerrarse,
intercambia letras de sus páginas opuestas

Mañana que despierte todavía borracho
sabrá que saber
es darse de golpes
con lo tangible
y que en la ventanilla del tren
la frente que parece atril de pensamientos fijos,
viaja en borrosa procesión
de diluvios y manzanas.

Mañana, si despierta,
no creerá lo que ha vivido,
buscará otra curvatura
que no haya sido pizarra de los pájaros,
buscará película virgen,
vida previa al fogonazo de Dios
y al esperado embrión de la blancura.

SISTEMAS DE BUCEO

1980

LA MÁS ALTA ESPERA

Silencio como guijarro solar estacionado en la boca. Silencio que la pureza amamanta. Su floración cegadora cubre las paredes del hospital, enredadera interna, secreción negra y dorada vistiendo el aire, embozándolo con un súbito sayal que empalidece a la luz eléctrica según acontece tras la descarga de corriente mortal en las prisiones.

Pero también existe el lado amistoso del silencio. ¿No lo aprecias en las familias de espectros que degeneradas por el estrecho parentesco se acogen a su área magnética? ¿No lo sientes en el acorazamiento de la inmóvil magnolia que dice su no de piedra a la tempestad que ama los doblegamientos instantáneos? Tú también afirmas, desde su hondura recrudecida, que la más alta jerarquía de la espera es aquello que se convierte en lo esperado.

Al otro lado del tabique —buen conductor de los ayes del moribundo y los resoplidos del convaleciente— te espera el momento de asolear tus rincones íntimos y te consuela pensar que la muerte, suceda como suceda, siempre es natural.

Si viviera, aparecería tu madre, sugiriendo con su rotundo taconeo que riñe con varios problemas a la vez. ¡Si la vieras entrar, como cuando eras niño, con los bizcochos más suaves, los iconos más esbeltos y dorados de la panadería! El regalo verdadero consistía en la manera de darte los regalos. Por un instante el mundo era un satélite que giraba en torno a tu cabeza embadurnada por la fiebre. Confirmados quedaban los signos de la más alta espera: lo esperado que llega con su contrabando de frutos mojados y de balanzas esquivas. Pero un prodigio de tamañas bengalas no conoce recurrencia. Ahora la soledad es doble y tú sigues siendo un uno más quebradizo que el de entonces. Un poco te ríes de todo y otro poco lloras por nada. Tu llanto te defiende del diluvio de paraguas. Amigo de verdad es este cuarto que contigo desfallece, como antes te decía, tras la descarga de corriente en las prisiones.

PROSA DEL MENTIROSO AMONESTADO

Si no tienes testigos mejor corres para lo oscuro y te salvas como puedas. Te apresarán donde sea, en comunión con tu soledad o cuando tu carne crepite por efectos de alguna pesadilla. Dices que viste la metamorfosis canicular y circular. Según tú, alzaste a la piedra por su nuca entre lloriqueantes hebras de verdín. Afirmas haber oído flores que se inclinan sobre otras al pasarles con su santo y seña, el contrabando supremo del secreto. Vuelves a repetir que existen libélulas enormes que agitan sus batas transparentes. Según tú, la rotación del ovillo secuestra a la telaraña vidriosa y desteje al ojo oscuro del huracán. Yo te digo que ver no es convencer. Lo que cuentas del ciempiés orando con un cirio en cada extremidad, no ha de ser cierto ni en las jugueterías remotas de la meditación. Lo mismo pasa con el trueno amordazado que destroza al tabernáculo sin que nadie advierta conflagración alguna. Déjame seguirte diciendo: ésta es la aldea de la astronomía a horcajadas, aquí la prudencia funda a como dé lugar su voluntad de sosiego. Lo que aseguras con tanto descaro no prueba que las contorsiones de la santa se hayan grabado en el alto tizón enraizado y sólo puede traerte males y persecuciones, correctivos para una lengua tan así como la tuya.

Di lo que quieras pero yo no voy a ser tu testigo: no me consta que la hendedura superior del corazón sea gemela de aquella que une las mitades de una mariposa.

No nos vengas con semejantes historias. Di tus cosas difíciles de creer frente a testigos que de veras hayan visto la orquídea que se hincha como tarántula de colores. Necesitas gente que haya conocido contigo el espasmo capaz de suscitar la retracción de las aguas. Envía personas de fiar y entonces sí nos encerrarás a todos en empalizadas de cartílagos de pájaro y nos tendrás cogidos dentro, con el sudor de la sorpresa pegado al cuerpo, leyendo tu ciudad de cantos dorados, hojeando tu floresta de algodonosas tapas. Ensueños de tu mollera. Pavor mío de la belleza. Piedras imán que también son piedras de repulsión trituradas por la sombra de un albatros que todavía no nace. . . Oigo un ruiseñor. Se afila el pico en una hoja de brezo. Se alborota y se refuta a sí mismo. Apaga lo que dice con un soplo de alas y estira su pecho inexplicable. . . ¿Es éste tu testigo?

AL CABO DE TODO

Se abren hongos fantásticos en mitad del vacío y lenta, muy lentamente, los colocas en el ramaje apenas insinuado de la sien. Ahí crecen, palpitaciones del porvenir; ahí maduran, frutos cuya plenitud enrojece cuando soportas el halago de moscas con armaduras tornasoles y la evidencia ciega de que si el limbo es la espera, el infierno sobra.

Lo que quieras conservar te será arrancado. Lo que desprecies permanecerá contigo. Ésa es la ley no universal, la consigna escrita especialmente para ti y que abre tus párpados obligándote a ver cómo los ventiladores rechazan tu última carga de caballitos de mar. Las visiones favorables, en cambio, te serán hurtadas entre las mangas del tiempo ilusionista: no verás la terraza en otoño, témpano de ámbar izado por ángeles que se acomiden fuera de sus horas de servicio. Pasará de largo la dictadura del sueño y su cascada de pájaros que han resuelto quedarse ciegos al conocer las minas de donde viene el color azul.

Al cabo de todo la imagen fidedigna se despeña por el pasamanos y ya caída restaña sus añicos, recompone la figura e ingresa al intranquilo arsenal del mundo inconquistado. Después de esperar y sufrir, otra vez respiras tiempo, dices fuentes, cantas árboles, siembras polvo, lloras piedras, vomitas noches, sueñas señales de que los astros son personas, cortas el vello verde que crece entre las teclas del piano abandonado. Haces y deshaces. Eres otra vez el detonador de la realidad. Rescatas tu sombra de los guiños del averno y aprendes, ahora para recordarlo siempre, que el cazador que se adelanta demasiado es otro blanco más.

NO HABÍA SALA DE EMERGENCIAS

En memoria de
Tomás Díaz Bartlett

Cuando me llamaron hacía yo el elogio de la tristeza hoy que tantos la confunden con la amargura y con más frecuencia todavía siegan su dejo reverdecido que se enciende y apaga como un presente intermitente.

Cuando me llamaron me destrabé de mi embarazo, enfrascado como estaba no sé si dentro o fuera del microscopio, dándole sentido al aire extraviado que nos mece en lo alto de la existencia o nos arroja desde la cresta del estupor hasta el punto cero en que pesa y resbala nuestra fugacidad.

Como pude guardé, bajo tapadera de aluminio, la rueda escarlata, la nube caliente de nuestra comida verdadera. Y no sé cómo ni en qué estado bajé por el tirabuzón de mi parábola o monté en el lustroso pasamanos situándome en mitad de la calle, mirando a todas partes como un fabricante de explosivos.

185

Ahí se me informó que era preciso subir al andamio volador, trepanar el cráneo del águila y sacarle una astilla de cielo causante de todo. Operación desesperada si se considera que el ave sería intervenida en pleno vuelo; operación suicida si se piensa que no escribo de izquierda a derecha ni de derecha a izquierda sino de centro a centro.

Le di un mordisco a una hostia envenenada. Agarré al águila desgarrada y todo aterido de metáforas, pensando en la capucha negra que degüella al tajo blanco, extirpé de un golpe la punta intrusa.

Me informan que cada una de sus plumas es un puñal reiterante y tornasol. No sé si el reposo la mejora o alarga su agonía. ¿Habrá sido prudente por parte del águila llamar por mí?

LA VISITA AL MUSEO

Dueño de ti en la serranía estrellada, por el pasto cálido marchabas en seguimiento de las luces del río, peces en calma como bastos en la baraja, espantados luego por la mordedura secreta de alguna espuela. Te dejamos ir a la ciudad porque ya no estabas tan enfermo, aunque te alejaste encorvado y dudoso consultando balanzas imaginarias, indecisos platillos que sostenían el peso y la orla de un ala murmurada. Te dominaba la tranquila desmesura de los prados; mantenías a raya la mudanza proverbial de tu mente a menudo traspasada por corrientes magnéticas. Horas después, como era fácil preverlo, se te fugó la concordancia y regresaste antítesis. En el museo sólo encontraste desgarramiento y banderías. Derrame de lo súbito. Pastosidades desholladas. Plenos poderes del caos amado y acuciado. Traspuesta la verja, los tigres de Rousseau paseaban su seda preguntándose si era a ti a quien iban a atacar. El *Chocolat Grindet*, de Duchamp, te lanzó hacia atrás con el impacto de un líquido pulposo. Las bailarinas de Degas se refrescaban el sexo en pebeteros para caballos. Doscientos autorretratos de Rembrandt, convocados de consuno, formaban cola frente a una pantalla cuyo orgasmo cintilante no amainaba. Los negros bumerangs de Kandinsky volaban sobre tu cabeza. Abriste los ojos. Colgaste el esqueleto de cada pintor en la sala asignada a sus encabritadas obras y te volviste a la casa de campo. Justo es decir que la sala del Bosco permaneció tranquila. De otro modo no hubieras vuelto para contarlo.

EN MITAD DEL RÍO

Nada contra ti belleza que esperas a pie firme la avalancha morada del silo roto y el vendaval de guano y de ortigas secas. Tú eres aquella que declina declinar y no aumentas en un grado o dos la febrícula del constructor prudente. Añades tabiques al cero elemental hasta volverlo pozo, torre hundida que no marea por su hondura sino por el dolor que mañana llenará de agua repentina al ámpula surgida tras la zafra de centellas. Tu llanto indeleble tendrá mucho que ver con la escritura venidera. Tal vez preceda al coito interrumpido que debemos repetir despiertos. Mientras tanto, aquí o allá, un adolescente siempre único sube las gradas del miraje, escoge el promontorio adecuado y se ahorca con el cable de su más delgada metáfora.

No cambiaré de caballo a mitad del río ni renegaré de ti, hermosura a quien debo lo que un ave ritual a su pluma menos curvada que también es la más larga y despaciosa. No puse límites al irisado seguimiento. Penetré la espiral de murmullos y venenos hasta encontrar ese recodo que el tiempo avaro no nos concede para vernos morir. Otro tiempo —que no deja que la historia juegue en sus rodillas— es el que importa y con él me has amistado.

¿Seré el hombre que no dobla a su doble? No pretendo tanto. ¡Cuál hombre voy a ser, sino la repetición inútil del que no pudimos ser ni Adán ni yo!

Cuando separen la harina del salvado, volaré del harnero mas no visitaré al incendiario que absuelve una aldea de cunas en vilo. Tampoco van a encontrarme junto a los signos hurtados al áspid. Temo una mala cosecha. Me entristece el agorgojamiento de los dorados pertrechos y doy la espalda a los que primero te arrancan el aderezo esencial y luego los escuetos pétalos que necesitas para volar.

LA NUEVA CASA

A Dore Ashton

Tú pones el fulgor de cada estancia, yo la progresión petrificada de los muros divisorios. Soy el umbral y tú la cerradura de la entrada. A semejanza del caracol, nuestra casa se conforma a expensas del material interior, nada sobrepuesta, impalpable estructura que crece sin concurso foráneo alguno. Tramo a tramo cobra forma su blanca fachada surgida desde el fondo mismo de la mente, con su argamasa de premoniciones, su peso musical que a veces duele tanto como la carne que nos viste y calza.

Erigida desde dentro, nuestra morada dispone sus partes, adquiere sentido y proporción, amplía la terraza a partir del único elemento disponible: el deseo doblemente edificante, aire que desplazamos mientras tú subes en un revoloteo de colores que tejen turbantes y bóvedas contra las súbitas emboscadas del sol.

Hay mutaciones en el ala derecha, cambios de última hora que comportan estrujantes fracasos: el cubo de la escalera no se ha materializado sino hasta la tercera vez que flexioné mis rodillas. La sala principal resulta demasiado estrecha aunque algo se podrá hacer calculando de nuevo las prominencias ascendidas y el espacio por ascender. En fin. . . siempre hay más trabajo que dar a la mezcladora de huesos, membranas y suspiros.

Siendo la primera piedra, serás también la piedra de toque. Éste es nuestro ser y no ha de ser otra la cantera. Nos está vedado hurtar exágonos a la espuma. Imposible saquear los arsenales de la niebla. La piel del viento tampoco puede ser aprovechada cuando al declinar la tarde tú avanzas y yo dudo y ambos nos callamos al advertir que el sueño y la quimera no son instancias enemigas ni neutrales.

La casa se hace cierta. Se puede *cascar* con la curva del dedo cordial. Va surgiendo según la recorremos, pero no a la manera de ciertas escenas donde la pantomima crea al mobiliario con el gesto que lo alude. Todo es verdad. De inaudita verdad materializada a través de la pasión y el horneo perseverante y convergente de la credulidad.

Acercas a tus labios el henchido gajo lustral. Reúnes tu desnudez bajo esta holgada cuanto inservible camisa de fuerza: tu casa que tiembla golpeada por una nube de cabellos negros. Tu casa escindida en mitades opuestas pero no contradictorias: me convierto en lo que eres y accedes a ser lo que ya no soy. Algo nos separa en masas, nos desgarra en volúmenes, nos divide en arquitecturas vivas que se hieren los pies con un guijarro.

Llenamos de números una cuadrícula de telarañas, habitamos un castillo de ecuaciones que nos ha ido apartando de las simplicidades conmovedoras. Queríamos un nombre para todos los hombres y he aquí que ahora besamos aerolitos orlados de panderos con la alegría del que no encuentra cómo contar sus conversaciones con la eternidad. Hay pasadizos como anélidos resplandecientes.

Hacemos sitio al peñasco anacoreta, a las alas de la fiesta, al muro que alza los hombros e ignora el hilo por el que se nos va la vida. Invitamos a la belleza hermosa, al vértigo mareado que nos cubre con su capota de perfumes indecisos. Del modo que sea, nuestra casa nos ha quitado la energía que otros reservan para la erección de la torre de Babel.

Yo siento que en la nueva casa te repito sin mencionarte nunca. Vuelvo a decir que eres la piedra de toque montada sobre un esbozo milenario. Vuelvo a suspirar por la forma y por lo informe, por la cabina quemada antes del viaje, por el fervor artesano que te encaja en lo momentáneo absoluto. Identidad que se vuela. Otredad que permanece en esta casa que nos da cuerpo, en este cuerpo que es nuestra casa.

ARQUITECTURA DE LA PROMESA*

La musaraña y el astro rojo comparten el plano primero porque no hay otro. La presencia reaviva a la inmanencia. Y es precisamente la viga maestra del ámbito libre lo que apuntala lo levantado en armas: un pájaro agrio que en su opacidad mental ha soltado la rama de olivo y raya con la ebria tiza del pico la textura espumosa que duda entre desaparecer y hacernos aparecer. Otras sedosas cajas migrantes, otros pájaros, han tomado al espacio por sus cuatro puntas obligándolo a dar un cuarto de conversión hacia el lívido firmamento que ha consumido demasiados voltios en su juerga inaugural.

Inauguración de la mirada sucesiva. Invención de mujeres punteadas por una geometría vagabunda, arquitectura de la promesa, oro húmedo que tampoco sabe adónde ir y se pasea enjaulado entre la pureza entreabierta y la cerrada inminencia de ese encrespado centro tan envidiado por los elementos que atumultan la conjura.

He aquí el desganado azul arrastrándose hasta llegar al lienzo como quien antepone dos brazos frente a un brocal inexpugnable. Ha gastado su savia legendaria y para mudarse a la tela pintada no vacila en hundir en el limo a sus estrellas que se mudan en coronas de hierro. Aún así, conserva una sombra de su vigor y refuta las dos alas bíblicas que lo invaden, recordándoles con severo gesto que la música y otras pasiones congéneres han de esperar a que Joan Miró

* Título de un cuadro de Joan Miró.

divida la invisibilidad en opulentas mitades territoriales, dejando atrás la pueril armonía de otros interregnos.

La nueva dimensión deslíe al color prusiano y sin degradarlo fermenta brebajes propiciatorios, enardece pigmentos, alienta negruras irrevocables con objeto de rebasar y traspasar la alienada forma, la marginada meta que anuncia una gesta de proporciones revulsivas: cambiar el dialecto de los enseres por el lenguaje de los seres.

Han de reñir aquí en liza atormentada, las huestes de la analogía con las del otro principio de la semejanza indivisible. También cruzarán aceros y lágrimas el detalle boscoso y la síntesis ascética. Como en toda guerra habrá vencedores tremolantes y guerreros sin alas. Una cosa es segura: la magnanimidad del armisticio no pondrá en riesgo la parte del león. Nada será confiado a los cuadernos de la arena. El silencio ha de ser el silencio de los cuerpos, así como el silencio del silencio es esta pintura que desfallece y nos reanima.

MEA CULPA

Prórrogas, algodones, diques y cáscaras. Todo lo he preferido antes que abrazar al omnipresente blancor de la mañana. Hubiera sido mejor acercarme a la gloria que en sí se abisma anexándome alguna rama en que cuelgan vestigios de ropa vaporosa. Hubiera nadado en la corriente de seda, siempre a media máquina, adelgazando a cada brazada hasta que mi corona barata, hecha del yeso de los plafones, se ajustara a mi cintura.

Bajo la voluntad de la llama y la procesión de los solsticios, habría entrado en la jabonadura escarlata incautando con una sola inmersión de mi red el limbo de los peces con ojeras de antimonio. Inconstante como la estatura de una ola, pero atravesado por la misma prisa secreta, habría opuesto la acción al despuntar de los oráculos paseándome en la soleada barca de mi cuerpo.

En vez de eso me despojé de aletazos que repintan el cielo y me atiborré de todo como remolino que no discierne. Preferí muñecas ya cremadas, atesoré las estrellas suspensivas que colgaban del telón de un día ya enrollado. Me decidí por la nada que también perdí al no querer dejarla en su lugar.

Fue imperativo nutrirme de los goteantes desechos que escurrían entre las barbas de la ballena. Hoy lo lamento. Doy marcha atrás. Froto mis sentidos con escarcha. Y si todavía yo soy yo, si la semilla aún sigue semilla, remontaré la corriente de vidrios profundos.

DE PERSIA VINIERON LAS ROSAS

A Esperanza Zambrano

Anegada la galería de los suspiros, deshecha la paciencia que me hace anidar en andenes de hielo, frecuentados los balcones sin casa de la rueda de la fortuna, me convenzo de que ya no soporto las discusiones de los mirlos ni el techo movedizo de la filosofía. Un vuelco incalculable me sacude y hago de tripas corazón. Tomándome rudamente de los pelos me conduzco al rincón de los castigos, al laberinto en que la cuita pierde pie como yo pierdo fondo en la nómada escalera imaginaria que a su vez se hunde en la somnolencia trazadora del mundo.

Algo, en efecto, ha confiscado mi guerra mundial. Por eso exhalo mi futuro en anillos de humo que hacen ondular el cortinaje de piedra. Por eso mismo se consuma un mal en apariencia incurable: la fuga de mi propia alma cuyo negreante fulgor, ni por la desdicha ni la gloria agobiado, se aparta con ira emboscada pues ya no soporta más el fastidioso tuteo al que la tengo sometida: ''alma mía'' a todas horas, a cada momento en que la mancillo con abusiva confianza. Húmeda y sondeada, vuelta al revés como una cáscara, el alma ha sufrido toda suerte de melosas designaciones sólo porque nos acompaña desde niños en un clima donde no siempre las fuentes opuestas intercambian afilados pétalos y luminosidades soñolientas. ''Alma mía'' a cada momento. Sólo porque a veces azulea en el pecho como una cruz de San Telmo que al atenuar su florescencia ultramundana nos ha permitido familiaridades que luego hemos extremado bajo los adustos pilares del cielo.

Nuestra promiscuidad con el tiempo la envejece. Y como el alma está en su derecho de tentar los confines, me abandona sin matarme; se remonta desde su hotel pringoso sin ocuparse más de la torpe envoltura que por tantos años le prohibió el serpenteo de la gasa, las evoluciones poliédricas que ahora conoce en su tramo inaugural.

Formarse con la imaginación, imaginarse sin forma, dan por resultado lo que en verdad ha de llamarse un alma libre: esponjado ramo de perfumadas máscaras, rosa gestual en que se asienta el cultivo rotatorio de las nuevas plenitudes.

Su ausencia desnivela al horizonte, enrojece mi fémur, adivina letanías de cantos rodados y frases pulidas hasta desaparecer. Soy el inocuo *desalmado* que llega a su eterno recomienzo y hacia todas partes mira, en todas las esquinas pregunta cuándo acaban las

191

vísperas que anuncian el mismo tiempo monocorde, la cosecha perdida desde antes de sembrada, mis lentas fauces que devoran una sola uva en varios meses. ¿Sabrá mi alma que sólo espero su llegada para poder morir?

Por culpa de mi culpa atizo al diamante que después no sabré domeñar. Mi mano jamás consigue constreñir la gota sangrienta que la entreabre y anuda mis raíces unas con otras para dejarme enano, ausente de toda posibilidad, precisamente cuando cada nube presume de ser sólo plomo transfigurado, hinchado vientre de una bella tormenta aplacada. Lo aullaré en latín, lo murmuraré al oído del trueno: soy el cascarón de la yema que no vuelve, la sombra de un vaso que llora su propio cristal independiente.

Mi cuerpo, jaula abandonada, hace vibrar su puerta abierta como si fuese el armazón de un ala. De cara a mi rincón he intentado borrar con el antebrazo la ceniza del otro antebrazo manchándome dos veces mientras borro itinerarios, suprimo cañadas y gargantas secretas, resto naturalidad y naturaleza a lo que ya no entiendo bajo los engarruñamientos de las plantas espinosas y de las alcobas submarinas y de los mármoles cubiertos por esa ceniza de la que ya he hablado y que tanto dispersamos en vida mientras ella, en el camposanto, hace lo posible por reunir lo que resta de nosotros.

Sé de seguro que mi alma está en Persia. En Persia se inventó el correo. Desde ahí partió hacia Europa la primera remesa de rosas. Ahí se consultaron arúspices domésticos cuando las aves excretaban lava. Mas todo se vino abajo con la presencia desleída del injerto. Las rosas, como el alma misma, no supieron defenderse del polen promiscuo y de las tentaciones del mestizaje repentino. Las rosas no supieron asumir su forma antigua. El alma, en cambio, podría de nuevo habitarnos si se le respeta cediéndole la acera, evitando familiaridades bochornosas, villanos juegos de manos. No sé si mi historia merezca otra vuelta de tuerca. Entre tanto, atisbo en la lluvia signos propicios. Mantengo en alto la cornucopia sin hedor ni origen. Trenzo los aros de mariposas que el alma hacía rodar. Estoy seguro de que aún está en Persia. Estoy seguro de que al fin regresará.

CONDENACIONES DE UN SACERDOTE EXTREMOSO

Cherem, Anathema, excomunión de por vida a quien prefiera la tortilla oval en vez de una redonda, servida, por si faltara poco, sobre un ataúd color de rosa cubierto con manteles que conserven las huellas de un tren de cuerda. Asimismo, escríbase y cúmplase nuestra reprobación eterna contra aquellos que no reparen con su papilla de lodo y lágrimas el trazo del relámpago y su cuarteadura de polen incandescente. Muerte civil para el que no advierta, por desidia o fingida sordera, el paso del lince que se desliza sobre techumbres de tejamanil y se confunde con la voz podrida por el eco, esa ninfa condenada a vagar por grutas y florestas, mientras su madre divina, la inspiración, pica piedra sobre el papel en blanco.

Cherem, condenación irreversible para el recogedor de basura que se valga de un palo puntiagudo y de esta guisa alce las cárdenas hojas que deben ser incineradas sin lastimadura alguna. La misma pena alcanzará a quien desperdicie la lluvia encharcada en el ala de su sombrero. Lo mismo espera al que introduzca blancos caballos en su soñar despierto o en su dormir de piedra, aun si en su excusa alega que él no es responsable de lo que acontezca en su cráneo cuando duerme.

Anatema, marginación vergonzosa, perpetua ley del hielo para aquellos que con fines de brujería pecaminosa, junten en un claro del bosque espejos azogados por ambas caras. Padre e hijo de cerdos ha de ser el contraventor de estas regulaciones santas a las que hoy acordamos validez eternal no sin antes advertir a los espías emboscados que estos castigos incluyen al que brinde a los culpables alojamiento, pan o agua. Se aclara además, ante el reino sobrenatural cuyo poder nos ha ungido, que esta sentencia sólo puede ser conmutada, mediante pruebas de buena conducta, por una decorosa muerte en la hoguera.

A RAS DE LA GRAMA

Exhortados por el aire anochecido iniciaron los globos su desbandada. Sólo el más pequeño permaneció cautivo a ras de la grama. Lo rodeaba un ecuador amarillo en que el vendedor de globos había trazado flores de lis casi perfectas. Su intenso brillo penetraba como un meteoro el firmamento rojo de los párpados. Casi de inmediato, el globo comenzó a reñir con su tatuaje. No entendía por qué la vívida franja quería ser harina de otro costal. El tatuaje le expresó su profundo fervor por la autonomía, así como su idea de emigrar cuanto antes al topus uranus, su hogar natal, nueva tierra de todos, sin trato alguno con lo que dura para corromperse o se corrompe para durar. Ahí giraría adherido a una tela imposible cruzado por llamas que no podrían consumirla. El pequeño globo, todavía reticente pero fascinado por una retórica tan adormecedora, dejó que su banda ecuatorial comenzara a dar ligeros paseos en torno. El tatuaje ondulaba como una serpiente en el viento y regresaba exigiendo su libertad total con más elocuencia que nunca. Torbellino inmóvil, pausa vertiginosa, fustigaba con su cinta de polen corolas en letargo. El pequeño globo, abrumado por tanta insistencia, le permitió marcharse. Antes de partir, la osada cinta retocó la explosiva belleza de sus flores entregándose por algún tiempo a la composición musical. Pronto convirtió su flordelisado tramo en un espeso pentagrama. Entonces el globo pudo reflejar en su enriquecida desnudez las torres brillantes de las remotas iglesias encendidas. Entretanto, lleno de torcidos pensamientos, el tatuaje alcanzó a las otras esferas azules y rojas sembrando entre ellas una terrible anarquía. Su misión consistía en esparcir esa volatizada sanguinolencia que no se puede llamar futuro y que siempre está por suceder. Pero un día que andaba de una piel a otra, el ventrudo diseño, confundido con una anguila, fue alcanzado por la mortal maestría de un ave de presa. El globo cautivo, que de ninguna manera pudo haber leído a Nietzsche, llegó a sus mismas consecuencias: toda la realidad posible se encuentra a ras de la grama.

EL CIELO ERRANTE

1981-1983

EFRAÍN HUERTA

[1914-1982]

Pocas veces te he visto,
pocas veces un saludo o una sonrisa
en los últimos años han echado a vuelo
tus palabras de campana en mis oídos feligreses,
conversemos ahora que otros te recuerdan en vez de acompañarte,
cuando tu polvo nos respira y la noche se desbanda
convertida en constelación de murciélagos;
cuando mis guantes, repletos de caricias heladas,
se doblan al otro lado del cristal infinito
y al fin entiendo por qué viejas guadañas
han terminado por echar hojas y enfundarse en ellas,
insensibles al llamado del cuerno en la bruma,
al apogeo en que el árido surco
se puebla de nardos y antenas perfumadas.

Y ya que hay espacio para ti y para mí en la misma llama,
pido que nuestra amistad no cese
porque detrás del muro la vigilia continúa,
porque más allá de tentaciones y expiaciones
aún te mueves entre polos de aceptación y de rechazo,
alimentado con leche exprimida de las crines de los astros,
asomado a ese lugar de imantación
donde la tarde propaga memorias de cofres sonrientes,
más allá del éxtasis en ruinas
y de otras anunciaciones que te invocan
en el hemisferio vacío pero no vacante de los muertos.
¿Debo entonces encender un cirio? ¿Llamarte con melosas,
jadeantes salmodias capaces de ahuyentar al paisaje sobrenatural,
ahora que has olvidado el aniversario de tus bodas con el césped,
el rastro de los suicidas, la huella sin huellas
de los perfectos sonámbulos, para sólo ser
la sombra fluvial del viento,
la luna deshecha en nieve, el agua soñolienta que bosteza
impecables círculos concéntricos?

Tomo lo que puedo de ti,
vendaval de harina tornasol,

197

magra yerba erguida. Tomo lo que puedo:
una pestaña de niebla, algo,
algo que expanda el ramillete de tus huesos
en el celofán de la mañana.

A las puertas de tu reino llamo
aunque no pueda ya más dar, salvo fuentes
de melenas de seda, aérea y delgada lava
en que el azar imprima nuestras conversaciones olvidadas,
lienzos de perfume que te vistan
con las capacidades de la garra y la catástrofe,
mientras araño celestes raíces
y ahueco la distancia
con lámparas arrancadas al árbol de la vida.

Entiendo lo que confundo. Confundo lo que entiendo.
Y te veo surgir resuelto en nuevas apariencias,
cubierto de halos y cintilaciones, desasido y remoto,
aunque sólo un vidrio, sólo dos versiones de la
        claridad desierta,
por breve tiempo nos separen.

DAVID MARKSON HA SALIDO A COMPRAR UNA BOTELLA

I

Cuevas y yo
                nos ahogamos entre copas rotas que manan arena
Cuevas y yo
                vemos un pájaro que en la nieve sólo existe por
                        su sombra
Cuevas y yo
                recogemos pedazos de una noche estrellada con
                        obscenas municiones de caviar.
José Luis, urgido de alma, despilfarra la que ya tenía,
Sabe que en el desierto interior
No hay agua siquiera para hervir una almeja
Y establece la línea de flotación del ojo,
Hunde con sus disparos la visión,

Raspa de las paredes la caspa de los espeleólogos,
Afila sus uñas que ensanchan las órbitas de las cuerdas
de los relojes
Y dice a los planetas aterrorizados
Que corran a protegerse bajo el ala humana,
Hoy que las rosas esponjan sus laberintos seguras de
no ser descifradas,
Ahora que el aire ya no es más el corsé de la mirada
Y escapa entre agujereados libros un surtidor de letras.

II

David Markson no aparece.
Escribimos un recado y hueso a hueso salimos por
la chimenea.
Queremos caminar por el lienzo ondulado de diciembre
José Luis transforma el apresurado paso en vuelo diurno,
Los aviones son ahora medianos pájaros de mink
Y hay aquí un pintor que pinta el cuerpo de los astros:
Yo veo cómo se alza y patina con un ala sobre el suelo
helado de la página,
Cómo limpia pinceles que son garras.
Araños de luz cristalizada.
Negras líneas que dan iluminación para vivir,
Rostros en diagonal como la lluvia o la nieve
Junto a la desierta mecedora
Donde cabecea el viento fatigado.

LOS VITRALES DE LA MARIPOSA

1983

BALANCE

Maté la nube de mis pensamientos,
cedí terreno
a los pensamientos de la nube.

Predije con Apollinaire las nuevas artes,
advertí en un claro del bosque
otras manchas verdeclaras,
ardientes zonas en que pude establecer
una pausa encastillada,
labios que sonríen
en el espejo de la primavera.

Muchas veces conspiré
con el domingo echado a mis pies,
con el tiempo sirviéndome de suelo
y el espacio, mi leal pareja,
aferrado a mis hombros para no caer.

Muchas veces mil veces
me hundí en sueños más sueños que los sueños,
al imaginarme cómo la golondrina corta,
con la tijera azul de la cola,
ciertas cosas ciertas:
pinos, sauces, tilos
contemplados al trasluz.

Confesé a medio mundo
que ésta es mi hora y no es mi hora,
que todo depende y no depende,
que mis pies han bailado
desde antes de saber andar.

No pude permanecer
ni seguir adelante
ni volverme atrás:
la sola solución fue despertar.

TLACUILO/PINTOR

Con rosas empapadas en luz
dibujo mi metáfora
en la tilma de la tarde.
Su apariencia sólo mientras la plasmo vive,
cauda furtiva
con que el gis de una luciérnaga
dos abismos antípodas divide.

Recuerda mi diáfana pintura
—oh amigo venidero—
y con arena incandecida
cruza tu rostro,
enloda tu pelo,
mancha tus vestiduras
que el destino rasga
más allá del hueso.

En la gloria del orto de vivir
convoca pinceladas vivas,
caligrafías sangrantes,
la llama que manotea y se ahoga
en mitad de su plegaria.

Con el cuerpo aramos la ausencia
en que la eternidad
ante sí misma se revela:
tú eres, como yo lo he sido,
piedra de toque del universo,
eres como yo lo he sido,
templo instantáneo de su coronación.

VARIACIONES SOBRE UNA METÁFORA DE BIOY CASARES

Si vieras el revuelto cáliz
donde pacen bestias de vaho
o sombras chinas que sobreviven

al derrumbe de los muros,
descenderías por la escala
que va de la transfiguración a la catástrofe
olvidando el lenguaje del humo
lo mismo que el humo del lenguaje.

Si aceptaras en obsequio
torres de nísperos,
cadenas de uvas que te llaman
con su temblor y su campanilleo inaudibles,
sabrías que no hay nada
como la mordida impresa
en un cuarto de sandía,
cuando el sol te descalabra
con su pedrada caliente.

Si no cortaras la rosa de los rumbos,
podrías oír el rumor que fluye
a través de la roca,
denunciando al ave
que canta de pie
en el centro de la tierra
porque te quiere decir
—sobre un calor de mantas y cartones—
que el infierno reside en otra parte.

TECHO DE DOS AGUAS

De no sé dónde
pero siempre en fila india,
brota un canto tras otro canto,
fulguración que derrite parasoles,
cantidad abismada
en lo visible desencarnado,
lo visible que nunca mira nadie,
lo visible cortado a pico
a semejanza de un techo de dos aguas,
dos alas que no aletean.

Siempre un canto tras otro canto:

blancura que estalla a quemarropa,
orilla donde un río alía su espuma
al fervoroso trajín
de las antiguas lavanderas.

Siempre en fila india
aparecen mis plegarias
y no sé por qué no me iluminan
bajo la misma erupción unánime.
No lo sé: ése es mi castigo.

BREBAJE

Más que amor,
resurrección del pasado,
brebaje en que reposa
un polvo de perlas molidas,
la semilla de una lámpara
tan grande como la gruta que ilumina.

Que nadie me explique la noche.
Puedo leerla en el atril de un sueño inconcluso.
La siento bullir
al fondo de mi tisana envenenada,
al fondo de ese vaso en cuyo cristal aumenta
el otoño de la infancia,
el haz interminable de raíces
con que el antípoda
roza las plantas de mis pies.

Honda pócima,
caliente río harinoso:
la línea del horizonte se expande y se encoge,
el futuro respira,
junta los labios del abismo
y nace una cicatriz, un camino,
un prodigio que coincide
con la regeneración de mi sandalia.

Que nadie me explique la noche.

DESEMBOCADURAS

I

No veo ni venzo,
apenas llego
a esas almenas de estratósfera
donde hacen falta esencias en flor,
florescencias,
amagos de la claridad
sobre esa pena que es la gloria
de resistir sobre la velluda coraza
encrespadas teogonías,
remotas miradas en ristre,
certidumbres de que *la piel de la palabra
son otras palabras.*

II

En las fauces que me ahuecan
encuentro mi despensa;
destrozo atalayas y terrazas,
observatorios y cabinas:
la visión se desdobla hacia adentro,
piensa en voz alta como el agua,
encarna lo indecible
y me hace cierto.

CORREO MARINO

Se levanta el negro vaho de tu pelo.
Crece el pozo, torre de ceros,
sube la pluma, cicatriz sin cuerpo,
y sólo el paso de aéreas milicias,
sólo un eco de nieve en el tejado,
sólo el diáfano retobo del éxtasis
duda y no zarpa,
revolotea y no asciende
aunque el rescoldo muera
añorando el vaivén de un ala.

Pero yo que sin moverme de mi sitio
tanto he volado en tapetes de grama,
no quiero alzarme lejos
de la tierra que iluminas.

Atado a ti por un largo presente,
liberado de tener que transcurrir,
recibo cartas del mar:
bellas láminas de agua
a través de la puerta.

DESPERTAR

¡A ver qué piedra
nos tira hoy la vida!
¡A ver qué lobo se unce
voluntariamente a la traílla!

Toda mi existencia la he gastado
diciéndole a la esperanza que me espere,
rogando al mar que ame a las sirenas,
al pino que se deje cortar
un poco de aquí y de allá;
pues así, con su hermosura más despierta,
con su vehemencia encrespada,
el sueño real será la realidad soñada.

¡A ver qué piedra
nos tira hoy la vida!
¡A ver si en la cresta del incienso
navega o flota el dorado pan!

CERTEZA DE MEDIANOCHE

Tímidas granizadas de arroz
sacan ámpula:
ésa es la circunstancia
de mis actuales circunstancias.

Por un momento
—cuando dan vuelta sobre sí mismas—
las campanas son vasos
en que el cielo burbujea.

En otro momento
flota la mesa de noche
y no puedo alcanzar mi dentadura.

A mí sólo me consta el sufrimiento,
los picos y fauces,
las garras que al seguir creciendo
se sacian en las yemas de los dedos.

Ninguna circunstancia nueva
impide que el viento muerda
las rosas negras
de mis borradores quemados.

Tampoco puedo colgarme
de la flecha que pasa.
Semejante circunstancia
impide que haya otras circunstancias.

Pero a veces, con tal que la dicha
no sea cotidiana,
siembro espacios ligeros,
sollozos de ozono,
soplos como puentes
entre dos éxtasis remotos.

Fuera de tal circunstancia
nada suspende el largo reinado
de las otras circunstancias.

ESTADO DE SITIO (1)

Del hombro al muñón,
y al aire que impulsado en su resaca
hacia la evanescencia pura avanza,

no encuentro cuerpo alguno,
quizá nubes mojadas
en irrestañable iridiscencia,
acaso la sospecha consumada
de que ser sólo ser
es asunto de las piedras.

Mas si un árbol
arroja al suelo todo fruto
para tener las manos libres
y tocar el cielo,
arde el tiempo conmigo adentro
y la existencia estalla:
abanico de gotas
en el puño de la roca.

Desde el hombro al muñón
y del muñón al dedo ausente,
por la gracia de lo vivo
al fin toco lo intangible.

VIAJERO DEGOLLADO

Por la blanca zona informulada
un súbito puente se despliega,
según voy caminando
con la cabeza bajo el brazo
y el casco ajustado entre los hombros.

Según voy caminando,
entre el signo ya vivido
y la maleza de nuevos jeroglíficos,
cierto jardinero repentino
esconde las estrellas que barre
bajo la noche alfombrada.

Y cuando ya no lo espero,
frente al sol se despliegan
los vitrales de la mariposa.

Planto entonces mi planta como una planta
en el abrasado arcano milenario;
mi caminata y el puente se han cumplido,
una franja de silencio
divide la dicha recobrada
y el futuro ya màrchito.

Vuelve la flama al pabilo,
vuelve el filo al embotado menguante,
vuelve mi cabeza a su lugar
bajo el cielo que lustra una gaviota.

MI DOBLE ESTÁ FELIZ

No sé si me espera
la reencarnación
con todo y doble
o si voy a ser glacial vampiro
de reflejo imposible.

Por lo pronto
dejo en la mesa
un mundo por interpretar,
blancos astros
cuyas barbas son la lluvia.

Está cerca el momento:
mis terribles araños de moribundo
cebrean la piedra.

Mi doble está feliz.
Es él quien resucita
entre el deshielo del ser
y la evaporación del alma.

SUPERVIVENCIA

Evado lontananzas,
borro los mensajes de mi cripta,

empiedro al castillo flotante
y el aire nunca olvida
lo que escribe mi cigarro
en la negra estepa embrujada.

Destierro países,
soy un mago que a sí mismo se toca
y sigue siendo cierto,
mago que a sí mismo se toca
con la punta más alta
de la más alta estrella.

Me atiborro con la sangre
de los últimos significados,
sorbo hielo color de uva,
invento la transparencia
envenenándome.

RENDICIÓN INCONDICIONAL

Las manos en alto
para contener la ira
del padre celestial.

Las manos en alto
tras la cascada que sirve de párpado
a la montaña dormida.

Las manos en alto
aferradas a la estampida estampada,
al eterno viaje inmóvil.

Las manos en alto
cuando leo mi frente
con las yemas de los dedos.

Las manos en alto
para que la primavera
no vaya a disparar.

RÍO DE PIEDRA

Pasas entre adoquines rojos
y labradas ascuas
y soles nacidos
de un solo costado mortal.

A la carrera pasas pero tu ser no avanza:
el suelo corre contigo,
topos de hierro
descuajan la arboleda.

La delgada muerte
bucea entre marismas.
Pero luego, según su atávica manía,
de todo se disfraza:
muro que se inclina y nunca se derrumba,
revelación deshojada por la niebla,
oleaje que desata
el moño azul de cada jeroglífico.

Pasas a la carrera,
sueñas que la pesadilla tiene fin
pero la calle, río de piedra roja,
se mueve a tu compás.

SUEÑO VICTORIOSO

Para mi hija Ana Luisa

Busca bonzos la luz en brama,
abaten las torres sus cuellos
como cisnes de piedra,
los ríos no saben adónde remitir
tantos cadáveres.

Pero yo detengo la tormenta y el tormento,
disperso el coqueteo de moscas y de letras,
pisoteo la tierra
haciéndola toser
sus piedras preciosas.

213

Subo a mi canoa,
herida errante
incrustada en el agua,
trinchera ya cavada
donde concentro
la saliva amarilla de mis lobos.

El vendaval saca punta a mi esqueleto,
desde adentro mi carne se desgarra,
pero retrocedo hacia los parajes vírgenes,
hacia los claros de fulgor
que sólo mi corazón conoce.

Ahí tiembla el gallo
y tiembla su tiara carnal,
ahí se decide la batalla,
ahí se quema la casa de espejos:
la tierra siempre ha estado iluminada.

TABLERO DE ORIENTACIONES

1984

LA PIEDRA VACÍA

A Gabriel Zaid

Naufragan las islas,
y del estado más lúcido
apenas conservo
cierto lazo de unión

una cabeza de playa
entre el horizonte apedreado
y la cascada que se detiene
a escasa distancia del suelo

conservo un puente de tablas
cruzado por dioses lluviosos,
un territorio ambiguo donde el cántaro
es aún piedra vacía

recinto en que se anulan
camposantos de miradas,
eclipses desgarrados
entre los claros dientes de una barda

ahí la conciencia disipa
su nube de vilanos
y las olas del pensamiento se adelgazan
entre mis palmas devotas

¿por qué se busca el estado más lúcido,
mas no el jardín de sílabas colgantes

¿por qué se desprecia a la mente perdida
en galerías cavadas por su mismo vuelo
y se prohíben pisadas
que la hojarasca soporta sin un solo gemido?

bultos de bruma y luz,
velas que abofetean al viento
mientras el cántaro cloquea
y despierta por dentro

cántaro ni esbelto ni ventrudo,
real y lleno de propósito
antes y después de probar el vino,
barro que dio forma a su alfarero,
ágil barro que saltó
de lo crudo a lo cocido

donde un lince aéreo atrapa,
con el rabillo del ojo,
las palpitaciones de la mente en blanco?

persigo la necesaria lucidez
para abandonar el estado más lúcido
y reduzco extremas crepitaciones,
amarro la carga en altamar

fresca piedra vacía,
no menos sorprendente
que un pan inexplicable
con reservas de agua bajo la corteza

ahora lo veo entre telarañas
de un espejo estrellado:
surge como una fuente congelada
frente a la ciudad que sonámbula
se pasea por sus andamios
y amontona bloques de lontananza trasplantada

soy el cántaro que bebe por error
un rápido cemento que lo desnaturaliza,
piedra invadida por otra piedra
que se disfraza de agua y me penetra

la piedra de la razón
obstruye mi razón de ser,
fulgor cristalizado,
lápida abrasada

gracias al fuego
afirma su realidad inmóvil,
merced al agua
su forma tendrá contenido

fundaciones parpadeantes,
avara lucidez
que me llena de mí mismo
como el sílice a la piedra

añoro mi cielo interno
surcado por insectos nocturnos,
breves cometas que perdían su cauda
al rozar las paradas curvas
de mi universo sedentario

ante esa luz despiadada
cierro los ojos,
a mí mismo me sepulto
entre los gajos del tiempo
y el carozo del espacio

dame el ondulante reposo,
la luna de codos en el mar,
prevención contra las obras del cemento
y los fantasmas de la lucidez.

tiempo que incendia
resoles y vislumbres,
aletazos de cristal
en el agua diurna

dame Dios mío
el reino de la piedra vacía,
el cántaro sobre la mesa,
mi mente perdida en su aventura inmóvil

AGUA FRÍA

La mente morosa
morosamente me despierta;
al fin existo
después de palparme
hombros y costillas,
sobre todo cuando toco
el temblequeo
en la piel del caballo
y en la piel del agua,
sobre todo cuando miro
colibríes sonámbulos
que en un cuerno de caza
beben soles claros y distintos.
Hasta entonces
me convenzo de mí mismo
y surge la certeza
como surge un río
en el costado abierto
de su nadador,
mientras toma cuerpo
la pregunta que avanzó
entre el semen negro del insomnio:
¿se fugan de su patria
o hacia ella van los destellos desbocados?
Yo sólo respondo
desde cámaras radiantes
donde bailan esqueletos
entre los hilos del placer,
momias animadas
con la saliva de la luz.
Convencido de mí,
hundo raíces como espadas
y me instalo en limo diáfano,
solamente desnudo y despierto,
despierto y existiendo
bajo el trueno que en mi sien estalla.
Saludo a la mañana,
luego existo.
Sólo soy los cinco sentidos del jardín,

conciencia que despeja
el agua fría de la hermosura,
ascenso enardecido,
salmón incandescente
o escalera de olas
que sube por sí misma
y de nuevo se despeña:
existo, a tambor batiente existo
y eso es todo.

CUARTO REDONDO

En los 70 años de Octavio Paz

Entre toses y calosfrío,
abro en canal un destello.
Encuentro ahí, descritos,
como en botella hurtada al mar,
los súbitos síntomas de mi cuarto:
alta temperatura,
la frente perlada de salitre,
ojeras amarillas en el techo,
mil años de abandono,
goteras condenadas a verter
insoportable llanto ajeno,
llagas sobre el papel tapiz,
un viejo foco servicial
insultado por los detritus de las moscas.
Mas este cuarto

                                        cordillera lunar
                                        en sábanas deshecha

por la mañana mejora y convalece:
cierra el destello que abrí en canal,
lo deja partir
mientras en él se plasma la ilusión
como fecha inscrita en una flecha.
Nadie puede seguirme
en este ir y venir
por el lado soleado de mi cautiverio,

221

nadie sino yo percibe
el arabesco de la bugambilia
conversando con la cortina
y sus flores estampadas:
lo vivo y lo muerto
trenzándose en la nuca de la realidad

ondulante
convergencia

collar atado
por la omnipresencia de un acorde,
brasa de vidrio, lágrima,
medallón furtivo
sobre los senos
de la noche traspasada

vislumbres
en racimo

pétalos retenidos
por un corazón remachado
o una roja gota de lacre,
en este cuarto
que no me da cuartel,
cuarto lijado por el viento,
cuarto redondo que oculta su pobreza
en las aguas del tiempo,
boya palpitante,
condensación plenaria de mi cuerpo
que es una muñeca rusa,
cuarto dentro de otro cuarto,
indecible centro de mis días
en perpetuo celo.

EMBLEMA

Un techo lactescente
aplaca los altibajos del fulgor.
Pintada está en el aire
la puerta que a nadie deja pasar

chubasco de vencejos
colisión descarnada

incendio fugaz de la pestaña

222

que a ceniza llega
sin pasar por la llama.

                    Devora el limbo
                    formas que el instante atiza
                    sentado en un volcán:

la inmunda mansedumbre
gana la batalla a la pasión.
Mas tú no atiendes
señas fatales o propicias
y tu cama desatada
siempre sabe qué hacer
en mitad del mar.
Recorres a pie
el perfil de una libélula,
te lavas las manos
en el volcado carapacho
de una catarina,
creces y decreces
ajena a los astros,
distinta de la luz artificial,
aparición que tremolas
en el astabandera
de la inmensidad,
dicha llovida
desde mis ojos
y que en pozos profundos rebalsa,
rebalsa y forma olas,
nieve en blanco
después de que la piso

                    flamante piel
                    de oro esfumado

nunca la disuelvas,
déjala ser
parte de tu aparición,
campo de gules,
unicornio estampado
en el cielo que inmenso flamea
con tu presencia por emblema.

VESTIGIOS OBSTINADOS

Milagroso
como roca suspendida
en la cresta de un surtidor,
distante
como la tierra que tarda un sol
en recorrer al año,
el caleidoscopio en rotación
divide al tiempo
en un momento para ver
y en otro para cambiar de imagen.
A veces pienso
en un perfume que nuble
a sus cristales,
beatitud encallada en la marisma,
calma imperturbable
donde sufre intermitencias
la sonrisa más lejana,
cuando parece que nada pasa
y súbitas presencias de estratósfera
hormiguean bajo la almohada.
¡Qué verde, qué azul,
qué de ningún color
resulta mi caleidoscopio!
Pero sé y presiento
que la memoria
ordena mejor sus espejos rotos:
algunos tulipanes fulgurando,
el silencio a punto de nacer
en la caprichosa boca
del torbellino eterno,
un carcaj de pájaros,
un tifón de oro
descendiendo por los andenes del alba,
canceles entornados
por el rehelente de otro mundo,
agua que tras el bautismo no se mancha
después de correr
entre los signos de los cenotafios,
gota dividida

que sepulta y suplanta
al ojo tornadizo de los caleidoscopios.
En otra parte yo me fundo,
ancla pulida
en golfos donde palpita la memoria,
aguja que rasga su sombra
en muchos dedos
e inventa un cielorraso
y clava en él
vestigios obstinados.

LA CONCHA DEL APUNTADOR

En memoria del general David Montes de Oca

Hay la palabra cumplida
antes de ser dicha,
vaso en que hierve
la sangre del primer juramento,
persistencia acantonada en laderas
donde la intuición como una cabra súbita
trisca reflejos en vez de yerba.

La provisión, la previsión del mañana
no son actos ni promesas
por la fortuna cristalizados,
ni la palabra cumplida al pie de la letra,
sino la identidad
del hombre y su propósito.

Acción o no acción
levantan amartilladas armas, opciones
frente a la embriaguez que ofrece
la presencia ajena:
azaroso aliento
que nos viste de resurrección
sin tocar el hueso
y que acompaña en nuestros gestos
al repentino palo de ciego
disfrazado de adivinación y cálculo.

225

Hay la palabra
que en la mente vive
y no se asoma nunca
a la ventana entreabierta
de los labios:
No sopla dentro del pífano
su airosa médula dorada,
tampoco alimenta a la quimera
y sus reliquias ahumadas.

La transparencia estorba
porque es otro ropaje:
estamos en el teatro de la mente
y desde la concha del apuntador
brota silencio olvidado,
el parlamento del follaje y del pájaro,
el firmamento que se estrella
entre el vacío y el sueño,
la identidad acordada
entre el hombre y su propósito.

DOBLE FONDO

Salirme del camino
para que el pie se enlace
con el musgo vivo.
Sentirme yo, ser yo,
buzo extraviado en la marisma,
desde mi piel hasta mi piel caído,
para volverme otra vez al camino,
lengua que ondula y avanza
tras la cabaña pegada
a las faldas del monte
como un caracol encendido.
Ahí exprimo
la camisa del verano
—húmeda en rocío
o lágrimas de pájaros—
mientras la imagen del castaño
por un momento echa raíces

en el pantano de la percepción
y desaparece entre sus cajones
de doble fondo.
¿Cómo ser yo
si a cada segundo cambio,
infatigable larva que espejea
en el instantero de las resurrecciones?
Meliso, Filolao,
Anaxágoras,
¿de qué podría estar seguro,
si la fugacidad que nos borra y edifica
vierte cántaros de fuego
sobre la balanza que pesa
el cuerpo del silencio en bruto
y el silencio de los cuerpos celestiales?
Déjenme a mí
—a semejanza de cada quien—
decidir sobre lo verdadero:
aquello que a su modo es real
y que a su modo el ciempiés inventa,
incapaz de recorrer al mismo tiempo
las alternativas de cada encrucijada.
Una gota de luna
tiñe de ser
al ser que amo.
Cobra vida
la cobra del sueño
lanzándome a los ojos
su veneno.
¿Es falsa esta punzadura?
¿No es cierta
mi divina ceguera
llena de colores?
Es real la noche
desgarrada entre opuestas dictaduras,
verdadero el actor
que al soñar entra en escena
con su peregrina zaga
de gallinas de Guinea.
Lo verdadero es cierto,
pero lo cierto

227

no siempre es verdadero.
Mi plegaria que no se ve,
hace visible al mundo.
El sueño que nadie sueña
encuentra refugio
en la calavera del buey,
en la calavera ahita
de pequeñas floraciones rojas.
Es cierta la niebla
que roe las inmediaciones
del poema,
pero su centro,
su salvaje nido irisado
de crispaciones carniceras,
quizá no es cierto
pero es doblemente verdadero.
Más acá
del sentido y del significado,
el caracol encendido
pesa más que la montaña,
carga su carga
del lado del deseo
y la ausencia que da cuerpo
al alma del amor
—vivacidad cristalizada por la luz—
se vuelve cierta,
real y verdadera.

TIEMPO UNÁNIME

Nadie sabe si la noche se asoma a la ventana
o si la ventana invade a la oscuridad.
Lo único cierto
es esta pausada relojería de olas,
vaivén que al tiempo encarna,
criatura sobresaltada y viva,
tempestad que es ascua y es granizo,
lúcida matanza
bajo mi frente que no acaba de pensarme,
pero concibe puentes por edificar,

maleza iluminada
en el techo de mis catacumbas.

Nadie sabe cómo,
pero la ilusión
vuelve a caminar lo desandado
y me ata con la fuerza de su hechizo
al presente crucificado
entre la paja y la flama,
al presente donde arribo
poco a poco en remesas;
piernas, ojos, esqueleto,
mi sucesivo ser al fin reunido
ante la magia del olvido
y el olvido de esa magia
que me hace escupir los dientes
sobre su tapiz de plata que fluye.
Ahí soy mancha de agua
que todavía no se evapora,
harina de risas doradas,
bastión de arena
donde un niño lima sus huellas dactilares
sin rencor al mar que arrasa sus castillos,
sin odio al viento de la claridad
que doblega a la arboleda
y vence dalias y violetas
o divide en la henchida canasta
estrellas como peces,
cuando la primavera
florece en los cuernos del ciervo
y el milagro mata prodigios consabidos
bajo el póstumo alcohol
en que fermenta la ceniza.

DON DE LENGUAS

Para Héctor Manuel Ezeta

Mi boca, horno de cada nombre,
encadena cada sílaba,

impulsa la emisión verbal
como estela corrediza
que me lleva inmensidad adentro,
fardo palpitante, agolpada incandescencia
donde apenas el alma sobrevive
sólo porque el estremecimiento
no llega a ser recuerdo,
pero si botón de arranque,
don de lenguas que modula
palomas de aire,
criaturas vivas, no palabras,
ángeles que liman la distancia
y exhalan gotas
con leyes propias,
esferas con el universo adentro,
frases pulidas
como los huesos de la noche,
calabazas que al fin maduran
y esparcen como un sahumerio
gérmenes de dioses
a los cuatro vientos.

VISITACIÓN Y SOSIEGO

Un vaho intermitente
mancha al espejo
en que mi dedo traza nombres,
bestias animadas,
beatitudes sonámbulas alzándose
entre murallas y latidos
cortados por un rayo,
entre marejadas precisas
como un vestido de noche:
fiesta natural
en que sale a relucir
la casta del cielo,
el lucero que guiña malicioso
cuando pasa de moda el tiempo,
el agua y su borrosa espiral de resplandores,
la tierra entera,

el alma precipitada
en corolas de olvido
y que al fin no se cansa ni se ofusca,
ni construye su nueva casa
a la orilla de un atajo
o de un sendero.

ESTAMPA

No anda ni vuela,
salta, piedra con fuelle,
el ave que busca
entre rescoldos del alba
un solo grano de vida inmortal.

Rebota en la yerba,
bebe cielo con agua,
un poco de noche
en el pozo del girasol.

Y como quien limpia una navaja,
su pico restriega
contra la roca negra:
así borra la sangre seca
de la pasada estación.

Su cuerpo quema
el velo de la transparencia.
Nada puede separarlo
de la repentina verdad
que lo hace eterno.

RETROACTIVIDAD

A Eduardo y Teodoro Cesarman

Cada vez que va a morir,
soporta el corazón cierta retroactividad,
una pausada inmersión

en el pasado de donde no surgió,
ofrenda que traspasa
al fuego del alumbramiento
anterior a todo embrión.

Ileso como un topo
mi corazón perfora túneles
en la mirada de Dios
Y cae como la gota cae,
precipita lechosas claridades
en la copa de ajenjo
donde la vida se adormece.

Late la luna.
Bajo sus manecillas arrancadas
un cráter vierte arena,
anega mi laberinto en vilo,
este corazón hacia la luz corrido,
semilla o mujer que se despierta
y de un salto abandona
la vaina ligera de sus sábanas.

ENTREGA INMEDIATA

En carta lacrada
mando una brasa
partida en simientes:
no son de girasol,
verbena o crisantemo.
Brasa y penumbra son
estas migajas lucientes
que han de resucitar
al jardín entero.
A la fortaleza enemiga envío
nombres para una aldea,
caligrafía encrespada,
noticias y sollozos,
volantes enigmas
que arrancan fulgor ultramundano
al ojo desierto de la cerradura.

en que las perlas de la virgen
brillan enlazadas,
mi carta vuela con su cargamento impalpable,
te inunda de antemano
sin que rasgues el sobre.
Y si lo abres en la blanca explanada,
hendirás una colmena
repleta de jeroglíficos coléricos.
¿O habrá parasol o trinchera,
suelo estrecho sobre la cornisa
que disipe en hormigueo reverberante,
al tropel alojado
en el caballo de Troya de mi carta?

ARQUEO
DE MEDIANOCHE

La vacua eternidad
contradice al tiempo,
pero el tiempo reduce la eternidad
a sus dimensiones verdaderas,
prepara la cama del capricho,
la sopa caliente del milagro
perfumada por el hambre,
el cuarto de conversión
que ilumina al miraje
y establece lo propicio,
vara mágica plantada
en el lado visible de la calle.
Entretanto el azar impetuoso
dobla una esquina
y sacude a la noche
tomándola por las negras solapas:
pide cuentas,
quiere saber por qué
ya nada existe salvo la flama

y su capucha de monje tembloroso,
nada sino la nada convertida
en súbita orilla de mi ser.

FALSA NOCHE

Enciende pero no ilumina,
sofoca, no calienta,
tu fingido amor comprado
con miramientos y saliva.
A otra. A otra mujer amé
bajo crespones de fuego
que la pasión colgaba
en la fronda del cielo.
Yo sabía a ciencia cierta,
separar su aliento
del resto del aire,
sabía, como un catador profundo,
reconocer su sangre impresa
en la carne de la manzana.
Todo ha cambiado.
Cada vuelo
se vuelve telón de piedra,
esplendor cuajado que interrumpe
el paso de libélulas,
palpable olvido
en que el faisán
se estrella sin remedio.
Y tú que manchas
tantos recuerdos,
arrojas ahora
un retazo de tela negra
sobre la jaula en que vivo,
inventando así
la ilusión de la noche.
Que nadie entonces me culpe
si mi canto se apaga
en el cenit de la mañana.

PENSAR Y DECIR

He puesto a secar
en el tendedero embrujado,
lentos himnos boreales,
música en lienzos que remece
la espada torcida de la lluvia.

Danza, danza el agua natal
con menuda persistencia,
cristal que chapotea
sobre la sangre milenaria del diamante,
río que me piensa y que me dice
al encontrar su delta
en el pulso roto.

La calma funda su iglesia
en cada roca,
la campana de nieve
estalla en cantos
mientras la tarde habla
por las grietas del chubasco,
mas no dice ni piensa
lo que la sangre piensa y dice.

Jamás se apagará mi música
bajo el húmedo parloteo
de los techos de zinc,
ni el verde movimiento ciego
esposará los tobillos
de mi danza en libertad.

La cárdena comarca
desafía al sol
entre musgosas ruinas
y mi lienzo de música,
nítido flamea
en el tendedero embrujado.

CONSIGNAS Y DESHIELOS

Interpretar la luz,
no la piedra,
amar al amor
no a la iglesia,
perder el tiempo
nunca el alma,
mojar la harina
nunca la ceniza,
pisar la nieve
pero también el alba,
morir desde el principio,
nacer a cada instante,
resucitar de día
y vivir de noche,
cantar en el camino,
rezar en el sendero, ·
pulir el pan,
dejar en bruto
el diamante de la vida.

SEVERO DESPERTAR

A paso de caracol,
más despacio que nunca,
la piel del antifaz
cubre al paladar,
petrifica los sentidos,
forra con ligero terciopelo
la cornamenta del alce,
y su descolorida pátina
embota la yema de los dedos.

A sí mismo se asoma
y sus gafas pierde
en un voladero:

El parroquiano endomingado,
contento de vivir,
gastadas revistas hojea
en la peluquería.

la nada oficial
de los filósofos
hipnotiza al gallo carnicero
con el húmedo surco de una raya.

Un carbón en el culo
le hará despertar.

VÍA LIBRE

Lanzo paletadas de tordos,
pero en vez de cubrir el cadáver,
la ola de plumas
contra mi cara revierte.
Escupo al cielo:
en seguida pútridas medusas
subvierten y desfloran
mi máscara pintada.
Digo una plegaria
cuyos ecos
el sol propaga,
y como nada contra mí se ensaña,
supongo que las obras del amor
a su destino llegan.

ÍNDICE GENERAL

Este libro se terminó de imprimir
el 3 de julio de 1986 en los
talleres de Lito Ediciones Olimpia,
Sevilla 109, 03300 México, D. F.
Se encuadernó en encuadernación
Progreso, municipio Libre 188,
03300 México, D. F. El tiro fue de
30 mil ejemplares.

Diseño y fotografía de la portada:
Solar / Rafael López Castro.